长夜里拥抱

张小娴 著

北京出版社出版集团

北京十月文艺出版社

第一章

1

"你瘦好多啊!"

"真的吗?"

"你不相信我,也得相信这些绷带吧?"

亮着微光的小房间正中央放着一张覆满白毛巾的窄床,床上躺着一具营养过剩的人形木乃伊,动也不动,看上去至少有两百磅,圆滚滚的身体和双手双脚全都裹着绷带,仅仅露出一颗浑圆的脑袋和四只白皙的手掌脚掌。

珍美手上拿着一卷宽绷带在人形木乃伊肉墩墩的一截小腿上绕上最后一圈。然后,她从身上白色制服的口袋里掏出一把剪刀把绷带剪断,剩下来的绷带随手搁在木乃伊的肚子上。接着,她在脚踝那儿把刚刚剪断的绷带再一分为二，利落地打了个漂亮的蝴蝶结，就跟木乃伊的两个手腕和另一边脚踝的蝴蝶结一样互相辉映。

现在，死翘翘的木乃伊看起来像一份大礼物，珍美看着觉得满意。这些蝴蝶结向来是她的"签名样式"，别的同事做这事时只会马马虎虎地打个结，但她总觉得躺在床上的这些木乃伊也是有血有肉的啊，该得到多一点的尊重。

珍美转过身去想要做点什么的时候，脸上突然露出迷惑的表情，她摸摸自己两边口袋，又弯身看看床底下，床底下除了一个放满毛巾和毯子的木架之外，什么也没有。

珍美百思不解地看着自己制服上的口袋，禁不住自言自语：

"刚刚那卷绷带呢？"

就在这时，床上的木乃伊动了一下，回答：

"在我肚子上。"

珍美看到那卷绷带了，咧嘴笑笑，抓起绷带，从口袋里掏出一本记事簿看了看，说：

"上一次，五卷绷带你全用光了，可这一次还剩半卷呢。"珍美拿着那卷绷带在木乃伊的眼睛前方晃了晃。

"天啊！我真的瘦了半卷绷带！"人形木乃伊兴奋地喊了出来，层层叠叠的下巴随即起了一阵波动。这种木乃伊包扎法是"青春不胖纤体中心"著名的减肥疗程之一。客人全身给涂上去脂膏，然后紧紧裹上绷带，再盖上电热毯。

今天这位乖乖被裹成木乃伊的客人胖得挺可爱，白里透红的脸上长着一张樱桃小嘴，三围曲线也合乎比例，只是每个部分都膨胀了好几倍罢了。

"这个方法真的挺能排油啊。"胖嘟嘟的客人说。

"就是呀。"珍美一边为客人盖上电热毯一边说，"听我们这里的主管娜娜姐说，每次排出来的油可以炸一包大薯条呢。三次加起来的油就可以炸一只肥鸡！"

"喔，那么，我可不可以多焗一会儿?"客人贪婪地问。

"这样不行啊。庞小姐，热毯每次只可以焗二十分钟，否则会有危险的。"珍美又从口袋掏出那本写满字的记事簿看着，说，"而且你有点血压高，心脏也不好。慢慢来吧。好了。你休息一会儿，我二十分钟后回来。"

珍美看了看手表，随后走出房间，顺手把身后的门带上。

珍美一踏出走廊，就在走廊上碰到正好从另一个房间走出来的佳佳。佳佳身上粉红色的制服连身裙跟珍美是一样的，两个人都是这家纤体中心的初级纤体师。

　　佳佳一看到珍美就问：

　　"你背熟歌词了没有？"

　　"我倒转都会背啊我！"珍美轻松地说。

　　"真的才好。你老是忘记歌词。"

　　"这一次应该不会吧？"

　　"为什么你这一次一点都不紧张？"佳佳看看手表说，"比赛还有三个钟头就开始了，你每次都紧张得要命的呀。"

　　珍美张大了嘴巴，拍拍自己的额头说：

　　"天啊！我忘了我应该紧张的呀！怪不得我刚刚一直觉得自己好像忘了些什么。"

　　佳佳露出一副早已见惯不怪的表情。

　　两人走着走着已经走进员工休息室。休息室的一面墙上挨着一排储物柜，另一边是一个用布帘围起来，给员工更衣用的小隔间，通道上放着一排木椅子。

　　珍美抓住佳佳的手臂，紧张地问：

　　"那现在怎么办？"

"别怕！我们还有时间练习！"

佳佳一手把珍美推进去那个小隔间。

"你干吗？"珍美诧异地问。

"现在就来练习啊！你在后台，我是司仪，待会儿我叫你的名字你便出来喔。"佳佳边说边拉上布帘，把珍美留在里面。

佳佳从口袋里掏出一把梳子暂时权充是麦克风，站在小隔间外面，清清喉咙说：

"各位观众，1998年度'苹果绿卡拉OK'歌唱大赛准决赛现在开始，有请第一位参赛佳丽胡珍美小姐。她的参赛歌曲是王菲的《如风》。"佳佳朝小隔间伸出一条手臂。

小隔间里一点动静也没有。

佳佳等了一会儿，终于按捺不住问道：

"喂，你为什么还不出来？"

这时，珍美把布帘拉开一些，探头出来，撅着嘴说：

"我又不是参加选美，我不是'佳丽'啊。"

"对，对，对。是我错，再来一次！"

珍美把头缩回去，拉上布帘。

佳佳拿着梳子，煞有介事地说：

"各位观众，1998 年度'苹果绿卡拉 OK'歌唱大赛准决赛现在开始，第一位出场的参赛者胡珍美小姐，她唱的是王菲的《如风》。"

小隔间里没有半点动静。

佳佳叉着腰，没好气地朝布帘里面说：

"这一次你为什么不出来啊？"

珍美连忙探头出来回答：

"我不是第一个出场的呀，好像是第七个第八个才轮到我。"

说完，她把身子缩回去。

佳佳撇撇嘴，一手叉腰，一手拿着梳子麦克风说：

"下一位参赛者是胡珍美，她要唱的是王菲的《如风》！"

这时，珍美慢慢拉开布帘，从小隔间里出来，一把剪刀倒过来握着，权充是麦克风，然后张开嘴巴，身体摇摇摆摆地唱起歌来，却是没有声音的。

佳佳定定地看着珍美一会儿，起初还以为自己耳朵出了问题，直到她凑到珍美嘴边，只见珍美嘴巴不停地开开合合，根本没唱出声音来，才问她：

"喂，为什么没有声音？现在是歌唱比赛啊。你搞什么鬼？"

"我怕娜娜姐听到啊。"珍美吐吐舌头，看向门口那边。

"哎，娜娜姐一个钟头之前已经下班了，今天是平安夜嘛。"

"早点说嘛！"珍美张大嘴巴，正想放声高歌的时候，突然想起什么似的。她一看手表，吓得脸也青了，"糟了！庞小姐呀！"

"你干吗？"佳佳问。

珍美慌得答不上来，没命地奔出休息室，穿过走廊，冲进客人躺着的那个房间。

门一开，只见床上那个人动也不动，仿佛已经昏死过去，湿湿的头发全都黏在圆脑袋上，脸和脖子冒出滚烫的汗水，眼睛半张着，嘴巴不停地哆嗦。

看到珍美时，她终于吃力地迸出一句话：

"我是不是排了很多肥油出来？"

"当然啦！"这时，佳佳已经跟着来到，帮忙掀开客人身上的电热毯。

珍美跟佳佳对望了一眼，大大松了一口气。她可是

9

险些让一个胖子从此在这个世界上消失呢。

　　珍美也不明白自己的记性为什么那么坏，一紧张起来，她便什么也不记得。佳佳就给她起了个花名"大头珍"。然而，老实说吧，即使不紧张，她的记性也好不到哪里。比方说，别人都记得童年的点点滴滴，她的童年回忆却很模糊，她老是想不起来。

　　不过，记性不好也有好处。她很快就不记得谁对她不好，也很快就把不开心的事忘掉。因此，她的日子过得挺快活。她只要记得每个月要去老人院看看祖母，只要记得佳佳是她最好的朋友，只要比赛时记得歌词，不是已经够用了吗？

　　这会儿，珍美已经把刚刚那幕惊险的"胖女子险死于大意纤体师手上"的事件抛诸脑后，只担心今晚的比赛。她在休息室里，对着打开的储物柜门上的一面镜子化妆。

　　她要化的是一个登台妆。

　　佳佳上星期替她把长发染成红色。珍美的肤色本来就很白皙，在一头红发的衬托下，显得更粉嫩雪白。她有两道粗眉和一双明亮的杏眼。她的两片厚嘴唇笑或不笑的时候都是微微往上翘的，珍美总觉得自己的嘴巴很怪异，佳佳却告诉她，她的嘴巴看来很性感，连女人见了都想亲一下。

珍美在脸上擦了厚厚的蜜粉，描了粗黑眼线和深蓝色的眼影粉，在本来已经又长又弯的睫毛上再黏上夸张的假睫毛，然后小心翼翼地涂上玫瑰红色的口红。她一向自问对化妆很有心得，无师自通，最爱参考杂志上那些歌手和明星的化妆。

"你化完妆了吗？快来弄头发吧！"佳佳站在珍美身后催促她，她旁边的椅子上已经放着一箱子做头发的工具。佳佳一向喜欢研究发型，不管烫发、剪发和染发，她全都可以做，也替朋友做。

"来了。"珍美乖乖在一把椅子上坐下来，背朝着佳佳。

佳佳首先松开珍美脑后的马尾，然后用一只大梳子把她浓密的红发梳顺，接着她撩起珍美头顶的一撮头发扭结在一起。

转眼间，珍美的红发全都扎成一个个像火把似的尖尖的小髻，向四方八面伸展开。

佳佳口里叼着几个发夹，拿着一瓶喷发胶，不停喷在珍美的头发上。

珍美双手掩着脸，直到听见佳佳说"行了！"她才松开手，飞快地站起来看看镜子中的自己。"好漂亮哇！是王菲的'龙珠头'啊！"她兴奋地抓住佳佳的两条手臂，蹦跳着说，"你很厉害啊！会梳龙珠头！"

佳佳得意洋洋地说：

"你唱王菲的歌嘛！一定要梳这个头才像样！快去换衣服吧！麦基现在就来接我，他答应顺路送你过去。"

珍美一听到麦基的名字，眉头马上皱了起来，狐疑地说：

"他？"

"他不是你想的那样啊！"佳佳说。

珍美没好气地瞟了佳佳一眼，边抓起挂在储物柜里的几件衣服走进小隔间里边咕哝：

"哼！我怎么想他了？他本来就是那个样子。"

"他对你挺好呀！是他主动说要载你一程的。今天平安夜，不容易拦到出租车呢。"佳佳边说边对着储物柜里的镜子化妆。她一头鬈曲的长发染成啡金色，一张小脸上长着一双带点风尘味的丹凤眼，她眯起眼睛，描了两条又粗又黑向上翘的眼线。

"哼哼，你以为我会相信吗？是你求他载我去的吧？"小隔间里传来珍美换衣服的窸窸窣窣的声音。

"你快点嘛！别要他等！"佳佳拿着一瓶香水不断喷在自己小小的乳沟上。

2

天已经落黑了，珍美身上罩着一袭喇叭袖的黑色闪金高领紧身上衫和一条白色塑料料子，裙头有大金扣的迷你裙，穿着黑色丝袜的长腿上踩着一双四吋高的方头浅口粗跟鞋，手上拎着一个银色包包。她旁边站着同样穿上四英寸高的高跟鞋，却比她矮了一个头的佳佳。两个人站在马路边，不时焦急地伸长脖子留意着汽车驶来的方向。

"他为什么还不来啊？迟到怎么办？"珍美急得走出马路边。

佳佳把她拉回来说：

"也许是路上塞车吧。"

"他会不会放你鸽子？"珍美将高盖到手指头的两个衣袖，叉着腰说。

佳佳结巴地回答：

"不会的。"

"不会？他又不是第一次放你鸽子！"

"他每次放我鸽子都是因为有重要的事情嘛！你别急，还有时间嘛。你也知道，麦基那手车开得像风一样快，一会儿就到。"佳佳露出仰慕的神情。

珍美叹了口气，一副吃不消的样子。随后她看看自己身上的打扮，有点患得患失地问佳佳：

"我怎么样？好看吗？"

珍美这身衣服是上星期跟佳佳一起买的，款式是今季最流行的，两个人前前后后逛了三天才买齐。最昂贵的要数脚上的高跟鞋。珍美一看就中意，她跟佳佳两个人杀价杀了半天，那个可恶的女店东说不减价就是不减价，珍美只好咬着牙付钞。

"那还用问吗？你今晚很漂亮啊！待会儿走音也没人听得出来啦！大家都忙着看你。"佳佳说完，又带点抱歉地问，"我不去打气，你不会生我的气吧？麦基已经两年平安夜没陪我了，今年平安夜他竟然陪我……"

珍美摇摇头说：

"得了！我怎会生气？只要你开心就好了。"

"你赢了的话记得马上打电话告诉我啊。"

"好的。但我从来没赢过啊。"

"你不是常常说'屡败屡战'的吗?"

"那倒是。"

佳佳又说:

"要是你赢了,明天我们一起庆祝。今天晚上我可能不回来了,麦基说不定要我留下来陪他喔。"

珍美心不在焉地将高衣袖看看手表时,不禁喊了出来:

"天啊!七点半钟啦!比赛还有半个钟头就开始,你到底要不要打电话催催他?"

这时,一阵吵耳的汽车引擎声伴随着更吵耳的音乐声从远而近。

珍美不用看已经知道是谁来了。

一辆黑色的旧款日本双门跑车戛然停在她们面前。珍美二话不说就打开车门爬到后车厢去,佳佳坐到驾驶座旁边,含情脉脉地看着麦基。

要是说有哪个人看上去永远是一副欠揍的样子,珍美觉得就是麦基了。他满脸青春痘,色迷迷的眼睛,扁鼻,大口,外加一张厚嘴唇。头发仔细地涂满发蜡,然后一根根纵横交错地在头顶竖起来，嘴角不是叼着一根烟就是叼着一根牙签或是任何停车场的停车票，脖子上挂着一条粗金链，开车时车子的音响吵得连在天上飞过的鸽子都会给吵死几只掉下来。

这一刻，麦基嘴边叼着一根烟，转过头来瞄了瞄珍美，一副很想笑的样子说：

"大头珍，你今天梳这个是什么头，为什么像一根狼牙棒？你是去唱歌还是去寻仇？"

珍美瞅了他一眼，大声回嘴说：

"什么狼牙棒？你识货不识货？你乡下出来啊你？这是王菲的龙珠头！是佳佳替我梳的。"

"你?"麦基转头，责备的眼神看着佳佳。

佳佳缩了缩脖子，不敢承认。

珍美早已经习惯了佳佳在麦基面前一副胆小如鼠的模样，这下也就不会特别生气。她撇撇嘴，朝麦基扯大嗓门说：

"麻烦你可以快点开车吗？我很赶时间的。"

"想快吗？没问题。"麦基一踩油门，车子就往前冲，在马路上穿来插去。

珍美连忙抓住座椅边边和车门边的扶手，身子却还是在车厢里摇摇晃晃。

麦基一手握着方向盘，往后瞄了珍美一眼说：

"我看你从来就没赢过，干脆不要再参加什么比赛了。以你的条件，只要你肯出来做嘛……我可以介绍几个马夫给你，他们都是我死党！"

珍美气得杏眼圆睁，冲他说：

"哼哼，要不是早知道你是卖电器的，还以为你是扯皮条的呢。"

珍美从来就不明白佳佳到底看上麦基身上哪一点，而且还对他那么死心眼。每次珍美说麦基的坏话，佳佳总是无奈地说：

"没办法，谁叫他是我的初恋男友，我就是不忍心丢下他。"

佳佳十四岁已经跟当时也是十四岁的麦基一起。多年来，两个人离离合合，却从来没分手超过三个月。麦基也知道自己吃定了佳佳，所以永远摆出一副高高在上的样子。

珍美虽然很替佳佳不值，但有时候她又想，佳佳起码可以接近自己喜欢的人，不管这个人有多么差劲。可珍美喜欢的那个人，却很遥远，她根本连接近他的机会也没有，也许永远都不会有。

就在珍美想得出神的时候，车子突然急刹停，害她险些把头撞上前座的椅背。她看看窗外，原来已经抵达时代广场外面。广场中央竖起了一株数十来呎高的银色圣诞树，树上挂满闪亮的灯饰，附近挤满了人。

佳佳连忙下车，扳下座椅，把珍美从后车厢拉出来。珍美有点晕头转向，颤巍巍地站着。佳佳从皮包里拿出一瓶喷发胶，在珍美头上猛喷，然后两个人击了一下掌。

"加油呀!"佳佳说。

"知道了!"珍美挤开人群，三步并两步地往商场奔去。她匆匆抬头瞄了一眼商场外面的大钟，距离比赛开始只剩下不到十分钟。

"糟了!"她边喊边拼命跑。就在她冲上商场的楼梯时，她突然听到"噼啪"一声，整个人顿时失了重心，幸好她及时抓住楼梯的扶手才没摔倒。她回头一看，不禁苦着脸喊了出来：

"我的新鞋子呀!"

原来珍美一边的鞋跟断了。她狼狈地捡起断掉的鞋跟一拐一拐地跑上楼梯。

18

商场一楼大堂盖了一个比赛用的临时舞台。这会儿，舞台前面的观众席已经坐满了人，还有许多观众靠在上面几层楼的栏杆上等着欣赏今晚的歌唱比赛。台上的一支乐队正弹奏着圣诞音乐。大堂左边布置了一辆巨型的鹿车和一株十来呎高的绿色圣诞树，上面挂满了饰物，一群孩子围着一个大胖子圣诞老人要礼物。圣诞老人把布袋里的礼物分给大家。

　　"借一下！借一下！"珍美连跑带跳地穿过人群，那个大胖子圣诞老人正好背朝着她，挡住了她的去路，珍美情急起来只好用双手和屁股同时把他挤开。

　　等圣诞老人回过头来想看看是谁用屁股撞他时，珍美已经从他背后挤过去了。

　　珍美好不容易终于挤进临时舞台后面的后台。其他参赛者都已经到了，有人在梳妆台那边对着镜子补妆，有人躲在角落里练习舞步，有人紧张地哼着待会儿要唱的歌。珍美一进来，先忙着跟其中几个参赛者打招呼，这几个人就像珍美一样，经常参加不同的歌唱比赛，大家早已认识了。

　　"珍美，你为什么现在才来啊？"一个架着无框紫色眼镜，穿着深紫色丝绒西装和粉红色衬衫，系上白色领带，染了一撮紫色头发的高瘦个儿对镜补妆时看到珍美，缓缓转过身来，兴奋的声音说。

"别提了！紫衫人，你有没有胶水?"珍美大口喘着气，一拐一拐地走过去，把一只高跟鞋脱下来放在梳妆台上。

紫衫人在自己带来的名贵紫色化妆箱里找到了一小瓶胶水，笑笑说：

"你看看这个行不行？我放在化妆箱里以备不时之需的呢。"

"喔！太好了！"珍美挤一点胶水到断开的鞋跟上，然后使劲地压在高跟鞋上面。

紫衫人指着张贴在镜子上的出场序说：

"你跟在我后面出场呢。"

"那好啊。有你替我打头阵，我没那么害怕。"珍美手里拿着高跟鞋，坐到梳妆台上说。

紫衫人是珍美两年前在一次歌唱比赛上认识的，两个人自那以后在不同的比赛里都碰到头。他每次都穿一身紫色的衣服，衣服一看就知道很昂贵。这人年纪跟珍美差不多，有点娘娘腔，可是人挺好。虽然他已经告诉珍美很多遍了，但珍美老是忘记他叫什么名字。她还是习惯叫他"紫衫人"。

这时，前台传来司仪的声音，宣布第一位参赛者的名字。

这些年来，珍美已经记不起自己是第几次参加歌唱比赛了，第二十次？三十次？还是三十三次？但是，这一次是她头一回晋身准决赛，要是她今天过了这一关，明天就可以来这里参加决赛。

明天可是她的二十二岁生日呢。

珍美看看高跟鞋，没想到那瓶胶水还真行！她穿上鞋子，不停小声哼着待会儿要唱的歌，紫衫人也对着镜子仔细地画眉，却好像老是画不好。

"我来帮你吧。"珍美说。

"噢，谢谢你。你龙珠头好漂亮呢！"

"不会像狼牙棒吗？"

紫衫人眼睛往上翻了翻，说：

"只有白痴才会说是狼牙棒！"

珍美咯咯地笑了起来。

不消一会儿，她已经替紫衫人画好两道漂亮得不行的剑眉。

紫衫人欣赏着镜子中的模样，眯眯眼睛说：

"你学过化妆的吗？画得真好！"

"没有啊。很简单，就像画画一样嘛。我忘了你是做哪一行的？"

"我替人补习的呀。我有几个学生今天来了，你有没有朋友来为你打气？"

珍美有点寂寞地回答：

"就我一个。"

时间过得真快，轮到紫衫人出场了。

紫衫人在外面忘情地唱着张学友的歌。珍美躲在舞台边的布幔后面偷看，刚才还很轻松的她，现在开始听到自己的心噗噗乱跳。她紧紧闭上眼睛，大口大口地呼吸，让自己镇静下来。

她觉得自己闭上眼睛才一会儿，音乐已经停了。她睁开眼睛，看到紫衫人的歌唱完了，他从舞台的另一边离开。

轮到珍美了，可她还没准备好啊！

司仪介绍她出场的时候，珍美顿时觉得脑海一片空白。她走出去，站到那根直立的麦克风面前，不看还好，仰头一看，栏杆上密密麻麻地挤满观众，她感到自己两个膝盖发着抖。这时候，乐队奏起音乐，她大力吸了一口气，摇晃着身体，开始唱：

　　有一个人，
　　曾让我知道，
　　寄生于世上，
　　原是那么好……

　　她一边唱一边陶醉地把两个长而阔的衣袖随着身体的摆动甩向左上方，然后又甩向右上方。到目前为止，一切也很好，她抖得没那么厉害了。

　　他的一双臂弯，令我没苦恼……

　　唱着唱着，她一边身子突然矮了一下，她没料到会这样，整个人一时站不稳向前倾，一张嘴竟撞倒在麦克风上，她吓得慌忙抓住那根差点倒下去的麦克风，低头一看，原来那个刚刚黏好的鞋跟又断了。
　　珍美只得用笑容来掩饰刚刚的丑态，装着若无其事地继续唱下去。可是，当她边唱边向右边上方挥一挥衣袖的时候，竟不小心"砰"的一声把那根麦克风扫到台边去。

台下传来一阵爆笑声，珍美尴尬地拐着脚上前拾起那根麦克风。接下来真是个悲剧，珍美只记得自己心一慌，早已背得滚瓜烂熟的歌词统统忘掉了。

他使我……啦啦……啦啦啦……

大概没有一个参赛者会像她那样，断断续续地把一首歌"啦"完，"啦"的时候还荒腔走调。

这时候，珍美刚刚来到商场时用双手和屁股挤开的那个胖嘟嘟的圣诞老人，不知什么时候开始，原来已经站在舞台下面，红色的大布袋皱巴巴地搁在脚边。

圣诞老人凝望着失了方寸乱唱着歌的珍美，眼里露出一个谜样的神情。

3

工人进来清洁二楼女厕时，珍美从最里面的那个小隔间打开门，垂头丧气地走出来。时代广场里的商店打烊了，人群也散去了。唱完，不，是啦完那首歌之后，她一股脑奔到女厕大哭了一场，躲起来不想见任何人。她再也不要参加什么歌唱比赛了。

商场大堂的灯光已经暗了，悠扬的圣诞音乐在耳边萦绕，珍美一拐一拐地走下电扶梯。她简直是个大笑话，是自己的大笑话。她低下头看到脚上那只断了鞋跟的高跟鞋，都是这双鞋子害她出糗的。她气愤地抬起脚，把那双闯祸的鞋脱下来，使劲往后一丢。

"哎哟！"

身后传来一个男人惨叫的声音，珍美吓得张大了嘴巴。她缓缓转身往后看，看见圣诞老人就站在比赛用的舞台边，手里拿着她丢出去的那只高跟鞋，一只手摸着前额，露出痛苦的神情。

"天啊！"珍美慌忙跑上去，急急说，"对不起。我刚刚没看到你，我不是有意的。"

圣诞老人把歪了的眼镜扶正，眼里泛着泪光，苦笑说：

"你丢得还真准！"

珍美太内疚了，没听懂这是个笑话。

"让我看看有没有流血？"她踮起脚尖，掀开圣诞老人一撮刘海的银白色头发，发现额角那儿肿起一大块，擦破了的皮肤正在淌血。

"你在流血啊！"珍美咬着手指头不知怎办。

"我早该告诉你我在你后面。"圣诞老人说。

"你别这么说嘛！我后面又没长眼睛。"

"我眼睛长在前面也避不开。"

"我包包里好像有胶布。"珍美手忙脚乱地在包包里找了很久也找不到，索性把包包里面的东西全都倒在舞台边边，终于给她找到一片史奴比狗狗胶布。

"你别动！"珍美把胶布贴在圣诞老人的伤口上。

"其实我比较喜欢加菲猫胶布。"圣诞老人说。

珍美禁不住笑了一下。"加菲猫好像没做胶布啦！"她动手捡起丢在舞台边的钱包、粉盒，还有一大堆零零散散的东西。

圣诞老人帮她捡起钥匙、梳子和手机。

"谢谢你啊！"珍美看到圣诞老人搁在地上那个好像泄了气的红色大布袋，脸带失望地问他说，"你的礼物派光了！"

"让我看看！"圣诞老人蹲下去，伸手在大布袋里找了一会儿，竟给他找到一副小孩子玩的红色塑料太阳眼镜，"还有这个，跟你头发的颜色很衬，送给你好了。"

"好啊！戴了这个，没人认得我。"珍美戴上眼镜，一副傻乎乎的模样。

她跟圣诞老人并排挨在舞台的边边，问他：

"你整晚都在这里吗?"珍美问圣诞老人。

圣诞老人点点头。

"那么，比赛的时候，你全都听到了……"珍美实在说不下去。

"全都听到了。"圣诞老人回答。

"你全都看到了?"珍美愁眉苦脸地说。

"全都看到了。"

"我是不是唱得很糟?"

"我没听到。"

"你不是说全都听到吗?"

"你没唱啊！你是在啦啦啦。"

"唔……你说得对，我根本没机会唱，评判没机会看到我的实力。"

"理论上，你可以这样说。"

"你有没有试过一直做一件事，但是从来没做好过?"

"做人。"圣诞老人说。

珍美没听懂，挪挪眼镜继续说：

"我从十五岁，不，好像是十六岁开始，一直参加比赛，从来就没赢过。"

"那么，你至少该得到一个长期服务奖。"

"我又不是想大红大紫，我只是喜欢唱歌，我想用歌声带给别人欢乐……"

"今天晚上你已经做到了。"

珍美把头靠在圣诞老人的肩膀上喃喃说：

"就像圣诞老人派礼物给大家那样，也是把欢乐带给别人啊。"

圣诞老人的脸陡地红了，一动不动。

珍美有点疲倦地搂住圣诞老人的大肚子说：

"可以让我揽一下吗？你很像一个大枕头。"

"呃……请随便。"

揽着圣诞老人，珍美觉得心头一股暖意。她扯了扯圣诞老人的大胡子，问他：

"这胡子是真的吗?"

"真的……才怪。"

"会不会痒?"

"现在倒有一点。"

"今天是平安夜呢，你为什么在这里？你没地方去吗？"

"今年我不想再钻烟囱了，在这里可以一次把礼物派出去。"

"圣诞老人是不是会给人愿望的？"

"那好像是神仙的责任，不是圣诞老人。"

"我再也不想参加比赛了。"珍美哽咽着说。

"今天晚上在台上发生的事只是意外。"

珍美眼睛一亮，坐直了身子，隔着太阳眼镜望着圣诞老人说：

"意外！对啊！我为什么没想到是意外？我一直都在怪自己呢！假如是意外，那我不该怪自己啊！我以后还可以继续参加比赛啊！"

"要是你真的那么喜欢唱歌，该找一位好的歌唱老师。"

珍美恍然大悟似的说：

"噢！我为什么没想到呢！我为什么没有早点遇上你呢！圣诞老人。"

圣诞老人停了一下，回答说：

"也许是因为今天之前圣诞节还没到啊!"

"一个人在哪里跌倒,就要在哪里爬起来! 明年我要再来这里参加比赛。你明年圣诞也会在这里吗,圣诞老人?"

"要是这里还需要圣诞老人的话,我应该会……"

"那我约定你了! 我们打钩钩。"珍美跟圣诞老人钩了钩手指。她不哭了,咧嘴笑着,一张性感的嘴唇往上翘。然而,过了一会儿,她又没把握地说:

"要是我进不了准决赛,那怎么办?"

"我看要晋身准决赛也不是很困难。你今年不也进了准决赛吗?"圣诞老人笑笑说。

"这倒是! 何况我很快就会找老师学唱歌。"珍美又笑了。

她拉下鼻子上的眼镜,揉揉眼睛,问圣诞老人:

"你的布袋里还有圣诞礼物吗?"

圣诞老人探头进去他那个大布袋里看了一会儿,说:

"派光了。"

珍美脸上露出失望的神情喃喃说:

"明天是我的生日呢! 我好想收到礼物。"

"我进去里面看看，也许还有。"圣诞老人指了指大堂远处的一扇银色门。

珍美望着老人胖胖的背影消失在那扇银色门后面，随后她捡起一直搁在舞台边的那只断了的高跟鞋，把另一只鞋子也脱下来，光着脚走路。说也奇怪，她觉得自己好像没那么沮丧了。她走着走着，不知不觉走了出去。

4

珍美掏出钥匙开门，门一开，她看到佳佳孤零零地抱着两个膝盖坐在客厅那张红色布沙发上看电视，一副垂头丧气的样子。今天佳佳跟她说麦基也许会留她过夜的时候，珍美就知道佳佳肯定又会失望。她认识佳佳三年了，麦基什么时候留过佳佳过夜？他甚至不肯跟她住，就怕她缠身。

"你回来啰?"佳佳没精打采地说。

两个人看到对方的样子，早已心照不宣，珍美落败就跟佳佳落单一样，向来都是家常便饭。

"你脸上的是什么?"佳佳指了指珍美鼻子上的太阳

31

眼镜。

"喔！圣诞老人送我的！我忘记脱下来呢。怪不得一路回来觉得看什么都黑蒙蒙的！"珍美把手里的银色包包丢到茶几上。

"圣诞老人跟你说什么了？"

"他叫我不要相信男人。"珍美故意嘲讽她说。说完，她走进浴室。浴室的白色木门上用油彩画了一个蹲马桶的巨型大头娃娃，红发，杏眼，往上翘的厚嘴唇，模样好可爱。这木门原本很旧，所以珍美索性在门上画画，让门看上去没那么旧。这个大头娃娃在客厅那面斑驳的墙壁上，珍美睡房贴床的墙上，还有衣柜门上统统都有，只是表情和动作不同，珍美给这个娃娃起了一个名字叫"大头珍珍"。

有了这些大头珍珍点缀，这间她和佳佳租来的坐落在西环的小公寓看来缤纷温暖多了。从高高的天花垂吊下来一盏红色的玻璃罩灯，常常照亮着客厅中央那张红布短沙发。佳佳和珍美最喜欢窝在上面消磨时间。

珍美上完厕所出来。佳佳连忙抓紧机会说：

"我今天其实玩得挺开心呢！"

"我今天也让大家笑得挺开心！"珍美自嘲说。她打

32

开冰箱，拿出一盒家庭装的巧克力冰淇淋和两个匙羹，坐到沙发上，打开盖子，把一个匙羹塞给佳佳，两个人大口大口地吃着冰淇淋。

"你不会想告诉我今天比赛的事吧?"佳佳瞥了珍美一眼说。

珍美把冰淇淋塞进口里，摇摇头，眼睛望着电视机。

"放心吧！我没事。你呢?"

"你要我说多少遍才相信，麦基这个人真的没什么，他只是嘴巴不干净，他也常说要把我卖去火坑，可他没有这样做呀！"

"哼，他敢? 看我会不会放过他！"

珍美吃了一口冰淇淋，又说：

"你有没有想过十年后我们两个会怎样?"

"我?"佳佳甜丝丝地说，"我说不定跟麦基结了婚，跟他生了一个儿子。"

"跟他? 那孩子一定很丑！"

"那你呢?"

"我?"珍美憧憬着说，"我可能在红馆开演唱会。"

"那我要有一沓贵宾证，可以带朋友去后台探班。"

"这个当然没问题。"

"你红了之后会不会忘记我?"

"我是这种忘恩负义的人吗?"

"可是,你记性一向不好。"

"那你到时可以提醒我的呀。"

"那一言为定啊。"

"你真的觉得我会红?"

"嗯!我看人一向很准的。"佳佳说。

"你?"珍美不期然想起麦基。

"圣诞老人真的跟你说不要相信男人?"

"你真笨!圣诞老人怎会这样说?我跟他约好了明年今日在时代广场再见。明天开始,我要找老师学唱歌!"珍美踌躇满志地说。

第二章

1

胡大仁究竟有多坏？他就有这么坏。七岁那年，他的爸爸离家出走跟新相识的女友双宿双栖，妈妈搂着大仁哭得死去活来。为了安慰妈妈，大仁只好昧着良心对妈妈说：

"别哭了，爸爸其实没你想的那么好啦！我一直想要个新爸爸。"

妈妈听完这句话，蹒跚地走到厨房，吞下半瓶药丸，然后倒在床上，嘴里不断冒出橘子色的泡沫，泡沫又滋生泡沫，这时她才发现自己吞的是维他命冲剂而不是安眠药。

十一岁那年，胡大仁差一点就加入了黑社会。一个比他高一班的大块头在他放学时拦住他，凶巴巴地跟他说：

"从今天起，你每个月要给我钱。"

"你要多少?"

"你有多少给多少。"

"你零用钱不够用吗?"

"不是。"

"那你为什么问我要?"

"气死我! 这是保护费!"

"你想我加入黑社会?"

"哼……算你识趣!"

"加入黑社会有什么好处?"

"这个……好处自然好多……以后有人欺负你，我会替你出头。"

"既然我是黑社会，为什么还会有人敢欺负我?"

"这……这很难说。要是有人欺负我，你也可以替我出头，那很威风!"

"我要替你出头? 那我为什么还要每个月给你保护费?"

"臭小子! 你到底加不加入?"

"两个人一起入会的话，会费会不会算便宜一点?"

"天啊！烦死我了！你以后给我滚远一点！"那个大块头就这样悻悻地掉头跑了，大仁这才没有成为黑帮分子。

　　要是这些还不算坏，以下这件事，应该是很坏了。两年前，大仁伤了一个好女孩的心。

　　那个名叫温文文的女孩是他一个同学的妹妹。大仁着实觉得自己配不起文文。文文温柔、美丽，很会做菜，还会修理电器，她的志愿是嫁给自己所爱的人，大仁压根儿就没想过文文会喜欢他。

　　直到一天，文文的哥哥对大仁说：

　　"你别辜负我妹妹，她很喜欢你。"

　　大仁这才知道大事不妙。他不想耽误文文，也不想文文对他有什么误会。那天，文文来宿舍找他的时候，他抓紧机会对她说：

　　"像你这么好的女孩子，将来一定会找到一个很好的男孩子。"

　　文文一听，颤着声音问他：

　　"你这话是什么意思？你明知道我喜欢的是你！"

　　"我其实没你想的那么好啦。我曾经害我妈妈自杀，连黑社会都怕了我。"

"骗人！你以为我会相信吗？我到底有什么不好？你为什么不能爱我？"文文呜呜地哭了起来。

大仁没法回答。他很想说："我对你就是没有那种感觉。"可他觉得这个答案太没风度了，于是，他决定保持缄默。

不过，最坏的也许要数这一桩了。

1999 年圣诞前的一个月，面试那天，大仁提早来到这个商场的办公室时，走廊上已经排了一条来应征圣诞老人的长长的人龙，里头什么年纪都有，有超级大胖子，也有瘦得像一根竹篙，打算来碰碰运气的，每个人脸上的神情看起来都很想得到这份工作。

大仁最后打败所有对手夺得圣诞老人这份工作，并不是因为他去年也是这座商场的圣诞老人，而且干得很不错，也不是因为他学过魔术，很会哄小孩子，更不是因为他的身材最像圣诞老人。

他是个高个儿，可他一点也不胖。去年在这里扮成圣诞老人时，他在腰间总共绑了四个软绵绵的枕头，裤子也穿了两条。

他成功连任，是因为他面试时一开口就很无耻地自动减薪，对方提出的时薪，他只拿三分之一，还愿意延长工时。当他从面试的房间出来，在走廊上看到那一张张满怀希望却行将失望的脸孔时，他心中充满自责。市面上一片不景气，这些应征者之中也许有比他更需要这份工作的，也许等着这份微薄的收入度过年关的。

前一年，也是他第一年做圣诞老人的目的原是多么的纯粹啊。他只是想把欢乐带给大家，尤其是小孩子，他们都相信世上真的有圣诞老人。

事隔一年，这个圣诞老人已经不那么纯粹了，可大仁非要得到这份工作不可。1998 年的平安夜，他答应了明年今日，跟珍美在时代广场再见，他们打过钩钩的。

去年那天，她问他还有没有圣诞礼物，可他的大布袋里没有了，他想起商场办公室里也许会有。然而，当他满心欢喜拿着一份礼物回来的时候，舞台边空空的没有一个人，珍美已经走了。大仁觉着心中一阵失落，那东西就是感觉。这感觉是他暌违已久的。

2

"我们公司庆祝圣诞节来临暨成立七周年纪念，特别优惠长期光顾的客人，所有套票也是买一送一，真的很便宜呀！庞小姐，你会不会考虑?"

　　青春不胖纤体中心的小房间里，胖嘟嘟的客人躺在床上，珍美手上拿着一个看起来像吸尘嘴的仪器在客人的肚子上滚来滚去。

　　客人皱了皱眉，有点犹疑地说：

　　"可是，老板这个月刚刚减了我薪水呀。"

　　"薪水减了，那你就更该减肥了，否则就会入不敷支的呀。"珍美继续说。

　　客人脸上露出迷惘的神情咕哝：

　　"入不敷支?"

　　"唔！人瘦了，自然不用吃那么多东西，不就可以把钱省下来吗?"

　　"那好吧！我买吧!"

　　"噢，谢谢你呀庞小姐。"

　　珍美望着客人信任的目光，心里禁不住一阵内疚。这儿的主管娜娜姐以前常常要她们鼓励客人多买一些套票。客人明明没瘦下来，娜娜姐会教她们告诉客人只要多做几个疗程便会变瘦。娜娜姐又说，要是客人还是没瘦，便把责任推到客人身上，问她们有没有偷偷吃了高卡路里的食物。根据娜娜姐的经验，没有一个客人是不偷吃的，所以这一招很管用。

珍美一向不屑这么做。她只跟客人说老实话，没瘦就是没瘦，瘦了就是瘦了。她也不会游说客人买套票，因此，她每个月拿的佣金少得可怜，常常给娜娜姐骂。

然而，这一年跟去年不一样。她现在跟绰号"大棵葱"的著名歌唱老师吴匆匆学唱歌，每个星期上一堂。大棵葱的学费很贵，珍美为了多赚点钱交学费，只好昧着良心对客人撒谎。

幸好，跟大棵葱学唱歌总算有点成绩，珍美觉得自己的歌艺进步了不少。她更顺利晋身今年"苹果绿卡拉OK"歌唱大赛准决赛。比赛还有一个月就到了，大棵葱提议她每星期多上一堂。珍美咬咬牙就付钱了。她一定要回去时代广场，她跟自己说过，在哪里跌倒，就要在哪里爬起来。

不过，跟大棵葱学唱歌的最大收获并不是歌艺进步。有一天，珍美无意中听到大棵葱跟她老公说，"那个人"搬来了他们这幢公寓，就住在他们楼上那一层。可惜，珍美从来没在那儿碰过"那个人"。

要是有天让她那么幸运碰到"那个人"，珍美真的不敢想象自己会不会紧张得昏倒在他的一双臂弯里。

她想着想着嘴角露出一丝甜蜜的笑意，本来在客人
肚子上滚来滚去的仪器滚呀滚的滚到自己肚子上去了。

3

"胡小姐，唱歌要用丹田来唱，我跟你说过多少遍？
你知道丹田在哪里吗？"

珍美双手按在自己的肚子上点了点头。

"还有，你唱歌的时候为什么眼睛老是望着天花板？
观众不是在天花板上的。"

"呃，对不起。"

星期天的早上，珍美在大棵葱家里上课。个儿高
大，已经中年发福的大棵葱头戴一顶绿色的画家帽，坐
在钢琴前面，双手弹着琴，眼睛望着珍美直摇头。

大棵葱的钢琴上面放满了她和红歌星的合照，他们
走红之前都是她的学生。钢琴前面的墙壁镶了一排落地
镜子，珍美每次唱歌时都可以看到自己的样子和表情。
一个月前，佳佳把她的一头红发染成黑色，然后烫成一
串串小鬈曲，看起来活像一盘倒翻了的面条似的。

大棵葱看看墙上的钟，接着双手停了下来，宣布：

"好了，今天到此为止。"

珍美偷瞄了一眼那个时钟。她发现大棵葱下课从来就没准时过，总是提早了五分钟。

"胡小姐，"大棵葱皱着眉，严肃地说，"比赛还有两星期就到了，看样子你要尽量抽时间多来上几堂课。"

珍美不是没想到昂贵的学费，然而，自从三个月前知道"那个人"就住在楼上之后，珍美巴不得天天也可以来这里。于是，她咬咬牙说：

"好的，我知道了。"

每次来这儿唱歌的时候，珍美不禁想象"那个人"也许刚好在家里，听到她甜美的歌声。因此她老是情不自禁仰头对着天花板唱歌，仿佛这个时候他的拖鞋正好软绵绵踩在她头上。他们从来没如此接近过，这样的时光多么幸福？

幸福？要是跟她相依为命的奶奶偶然很清醒，什么都记得，会像从前一样跟珍美聊天，爱怜地摸摸她的脑袋瓜，珍美也会感到片刻的幸福。

这一天，珍美来到元朗的老人院探望奶奶。

奶奶坐在大厅一把椅子里，正在看电视，身旁还坐着几个老人。快八十岁的奶奶一头浓密的银发，白白胖胖的，精神很好。

珍美走上去，喊了一声：

"奶奶，我来看你啦！"

奶奶的视线从电视机移到珍美脸上，慈祥地朝她咧嘴笑着，然后说：

"你是哪一位？"

珍美不禁一阵失望。她在奶奶身边坐了下来，摸摸奶奶的脸蛋说：

"我是珍珍呀！"

奶奶一脸迷惘地问：

"珍珍是谁？"

"我是你的孙女儿，你不记得啰？"

奶奶定定地望着珍美好一会儿，然后摇摇头。

珍美叹了口气，依偎着奶奶温暖的身子，喃喃地说：

"我们两个人只要其中一个记得对方是谁就够了，对不对？"

4

"依你看，老人痴呆这个病会不会有遗传？"

两个人在熙来攘往的铜锣湾逛街时，珍美问佳佳。

"你爸爸有没有老人痴呆？"

"我已经不记得我爸爸是什么样子了。呃，这个好看吗？"珍美停下脚步，指着时装店橱窗里的一条毛茸茸的黑色连身长裙说。

"进去看看！"佳佳拉着珍美钻进店里去。

不消一会儿，两个人两手空空地走了出来。

"太贵了！还说已经减了价！"珍美撅着嘴说。

"就是呀！这些人真的以为市道很好吗？"

"现在怎么办？只剩下一个礼拜，还没买到比赛穿的衣服呢。"

"放心！天还没黑，我们还有很多时间啊。"

"你明天真的不陪我去跑步？"珍美问佳佳。

"不要吧？我宁愿多睡一会儿。你干吗忽然嚷着要去跑步？想减肥的话，公司不是有很多仪器吗？"

"我不是想减肥，大棵葱说我唱歌不够力气，我是要跑步练气啊。所有歌星开演唱会之前都是这样练气的呀。"

"王菲好像没有啊。况且，你又不是开演唱会。"

这时候，佳佳挂在胸前的手机响起。她把手机贴到耳朵上，"喂"了一声之后，马上换上了一副小鸟依人的模样，小声说：

"呃……我没事做啊……嗯……我现在过来。"

佳佳挂了线之后，一脸内疚地朝珍美说：

"我明天下班再陪你找衣服好吗？"

珍美叹了口气说：

"快点去吧！麦基一出，谁与争锋！"

"你别生气啊！一千个对不起！"

"你已经欠我几千万了，还不快走！不怕他跑掉吗？我一个人再逛逛好了。"

"我走了！明天陪你跑步哦！"

天已经黑了，佳佳接到电话一溜烟走了之后，珍美独个儿逛了很久，还是找不到中意而又便宜的衣服。

身边挤满赶着买圣诞礼物的人，高楼大厦的灯饰纷纷亮了起来，珍美有点落寞地在街上晃荡。最后，她在一个拐角停下脚步，望着开在对街的一家宠物店。

宠物店的橱窗里，模样可爱的小狗或是在笼子里睡懒觉，或是好奇地盯着外面看。珍美的目光越过马路，望着店里一个身材窈窕的长发女子。店里只有她一个人，那女子身上穿着一袭鲜黄色的工作袍，神情举止有一种说不出的温柔。珍美看见她抱起一头小小的金毛寻回犬放到靠近门口的一张工作台上，先是轻柔地抚抚它那个毛茸茸的头，然后用一把刷子细心地梳顺它身上漂亮的毛发。那头小狗乖乖地站着，有好几次，它缩了缩脖子，一副很幸福的模样，转头望着长发女子那张漂亮的脸蛋。

珍美杵在拐角，静静地看着那人那狗，突然觉得鼻子酸酸的，眼里有些湿润。

5

"你这眼泪是怎么弄出来的？好漂亮啊！"

1999年平安夜的这个晚上，珍美终于又回到时代广场歌唱比赛的后台。

去年这么倒霉，全因为坐上了麦基的车，所以珍美今年学乖了，下班后直接从青春不胖坐地铁过来，结果早到了。

紫衫人比她稍晚一点来到后台的时候，珍美正躲在梳妆台的一角，用带来的一根黑色原子笔把歌词抄在两只手的掌心里，心里想着："哈哈！嘿嘿！这样便不会忘记歌词。"

紫衫人一看到珍美的"眼泪妆"便张大嘴巴赞不绝口。

珍美得意洋洋地说：

"是水晶来的呀！我找了很久才找到！"

珍美今天为自己画了一双黑色的烟熏眼，每边脸颊分别用胶水黏了两颗梨形的白水晶，看上去像两颗晶莹的泪珠，老远就看得见。她的一头鬈毛爆炸头是佳佳替她弄的，还缀上了许多银丝带，很像狗展上仪态万千的黑色贵妇狗。

她身上穿了一件毛茸茸的高领背心和长到脚踝的黑色直筒裙，露出两条白皙的手臂，唱歌时再也不用担心会不小心把麦克风扫到地上去。这身衣服是昨天跟佳佳逛了很久才终于找到的。

紫衫人边打开带来的化妆箱补妆边告诉珍美：

50

"我的学生来了捧我场啊！他们就坐在第四排，还带了荧光棒来呢！你呢？今年有朋友来捧场吗？"

珍美咧嘴笑着回答：

"有啊！我约了人。"

麦基几天都没出现，佳佳今年平安夜落单了，做完最后一个客人之后会马上赶过来。两个人还说好不管珍美赢或输，也要去庆祝平安夜和珍美的二十三岁生日。

"我去看看我朋友来了没有喔！"

珍美说完蹑手蹑脚走到舞台旁边，隔着一条布幔的缝隙探头看看外面的情形。观众席上陆陆续续有人入座了，一楼大堂从高高的天花垂吊下来一个个巨型的雪人，或高或低，全都头戴红色帽子，脖子上的红颈巾在半空中飞扬。

"今年的装饰好漂亮啊！"珍美心里嘀咕。

随后她看向大堂的一角，看到一群小孩子缠着一个胖嘟嘟的个儿高大的圣诞老人。圣诞老人正忙着把大布袋里的礼物分给大家。

当珍美把目光转回来看到评判席的时候，活像被电击了一下，整个人僵呆了。

就在这时，她听到手机铃声，这是她的铃声，她的铃声一直都是那首歌。这多巧啊！

珍美连忙飞奔到梳妆台那边，抓起自己的包包，手忙脚乱地掏出手机来贴到耳边。

一听到佳佳的声音，她就紧张得上气不接下气地说：

"你在哪里？你为什么还没来呀！我看到'那个人'呀！他是今晚三个评判之一，我现在该怎么办好啊？"

佳佳在电话那一头慌张地说：

"我来不了啊！"

"什么？你不来？"

"麦基给警察抓了，我要去警察局保释他！"

"给警察抓了？他犯了什么罪？非礼还是强奸？"

"很好笑！我笑不出来啦！他好像是在店里跟客人打架！"

"可是，'那个人'就在台下啊！"

"你不要望他就好了。挂线啦！晚一点再通电话吧！"

珍美无奈只好回身把手机塞回去包包里。

"我出场啦！祝我好运！"

珍美一转过身来就看到紫衫人不知什么时候已经站

在她面前。

紫衫人是今天晚上第一个出场的，珍美搂了搂他，心不在焉地说：

"祝你好运！"

不一会儿，外面传来紫衫人的超高音歌声。珍美觉得一颗心很乱，她紧张地不停搓揉着两个掌心。佳佳叫她待会儿不要望"那个人"，那怎么可能呢？

她从来就没跟他这么接近过。

他是她最崇拜的作曲家。他四年前作曲写词的那首《在下一刻爱上我可以吗？》旋律优美动人，风靡了万千歌迷，也是珍美最喜欢的一首歌，永远占住她最爱歌曲排行榜的第一位，听多少回都不会厌，她甚至把歌下载到手机里。

珍美看过资料，他留学德国，主修作曲，钢琴弹得很棒。这么有才华的男人，竟然不是丑八怪，反而长得像明星。珍美想要成为歌手，多多少少也和他有点关系。要是她真的成了歌手，不就可以请他为她作一首像《在下一刻爱上我可以吗？》那样的歌吗？

今天之前，他只是个遥远的梦，可这一刻，他就坐在评判席上。珍美双手在两边脸颊上来来回回地搓揉着，跟自己说：

"别紧张！别紧张！"

那一刻终于还是来临了。这会儿，珍美站在亮晶晶的舞台上唱着歌，她故意不看向评判席那边，而是看向另一边，慈祥的圣诞老人就站在那儿听着歌，脸上一径挂着微笑。

来又如风，

离又如风……

珍美唱着唱着，视线从圣诞老人身上慢慢移开，忍不住用眼角的余光偷瞄了坐在评判席上的"那个人"一眼，"那个人"刚好一只手支着头定定地望着她。一瞬间，珍美一颗心有如小鹿乱撞，浑然忘了接下来要唱什么。幸好，她早已十分机警地把歌词抄在掌心里。

她身体跟着拍子摇摆，伸出两条手臂，掌心朝着自己，才发现歌词不知什么时候不见了，两个掌心只留下邋邋遢遢的墨水痕迹。

就在她空张着嘴，不知怎办的时候，突然看见台下

54

一只戴着红色手套的大手朝她大大地挥舞着，想引起她的注意。原来那只大手是属于站在台边的那个圣诞老人的。

珍美望向圣诞老人，圣诞老人掀开了嘴上的大胡子，嘴巴朝她念念有词，好像唱歌似的，又在头上竖起一根手指。

珍美想起来了，接着唱：

> 有一个人，
> 曾让我知道，
> 寄生于世上，
> 原是那么好……

圣诞老人在台下悄悄给她提场，珍美一直跟着圣诞老人嘴巴的形状边猜边唱，这才没有在"那个人"面前出洋相。

6

珍美满怀希望地站在台上，等候司仪宣布可以进入明天决赛的名单。

她听到此起彼落的拍掌声，却始终没听到自己的名字。希望又落空了，珍美就像选美会上那些落选的佳丽那样，站在后排当人家的布景，为了表现风度而强颜欢笑，幸好还有紫衫人陪她一起输。

然而，她万万没料到，"那个人"这时竟然主动走上台跟所有参赛者一一握手。他穿着皮夹克和牛仔裤，本人比照片还要帅气。

轮到珍美的时候，"那个人"风度翩翩地伸出手，自我介绍说：

"你好，我是林清扬。"

珍美羞怯地咧着嘴，朝林清扬伸出她那只颤抖的小手，林清扬这时却突然把手缩了回去。

珍美的手还僵在半空，尴尬得不知怎办。

"别动！"

就在一秒钟之间，林清扬从裤子的口袋里掏出一条手帕，温柔地，像轻抚似的抹了抹珍美左边的脸颊。

他仿佛正在做着一件大事情那样，一张脸差点便凑到珍美脸上，认真地说：

"你脸有点脏。"

珍美偷偷把脸向他凑过去多一点。她想起来了，出场前因为太紧张，双手在脸上不停搓揉，一定是那时候把歌词印到脸上去了。

"行了！"林清扬嘴边冒出一丝迷人的笑容说。

看着林清扬把抹过她脸的那条手帕放回去口袋里，珍美垂在两边大腿的十根手指头伸得直直的，踮高了脚尖，差点儿尖叫出声来，幸好，她按捺住了。

"哇呀……"

商场二楼女厕传出一声尖叫。珍美从最里面的小隔间里打开门走出来时，嘴角挂着一个甜丝丝的微笑。喊了出来，她的十根手指现在可以弯曲了。

她脸上挂着笑容，嘴里哼着歌，踏着轻快的舞步走下楼梯。大堂里只剩下零零星星的人，珍美看到圣诞老人站在大堂中央四处张望，好像等什么人似的。

"圣诞老人！"珍美在楼梯上朝他喊，边跑下来边使劲向他挥手。

圣诞老人回过身来看到珍美时，愉快地向她挥手。

珍美奔跑到圣诞老人跟前，咧嘴笑着说：

"刚刚真是全靠你在台下提场呢！要不是你，我也不知怎么办！"

圣诞老人耸耸肩，一副不用客气的样子。

两个人有好一会儿没说话，然后，珍美很感激地说：

"谢谢你啊！圣诞快乐！"

说完这句话，她甩着手里的包包转身离开。

走了几步之后，她突然又停住了脚步。

"圣诞老人，我们是不是认识的？"

她缓缓回过头去，望着圣诞老人。她想起刚刚要走的时候，圣诞老人脸上露出失望的神情。那神情好奇怪。

圣诞老人定定地看着她，失望的神情顷刻间换上了期待。

"呃！"珍美拍了拍自己的额头说，"我真傻！所有圣诞老人看起来都是差不多的呀！再见了！"珍美挥挥手，掉转脚跟往回走。

"你今年不再乱丢高跟鞋啰？"身后的圣诞老人突然冒出这句话。

珍美再一次停住了脚步。

"你——"她猛地转过身去，"你是去年在这里的那个圣诞老人?"

圣诞老人叉着圆滚滚的腰点点头。

珍美连忙飞奔上前,淘气地扯了扯圣诞老人的大胡子,抱歉地说:

"你扮成这个样子,我怎么认得你!"

"我去年也是扮成这个样子。"

"但你跟上次好像有点不一样呢!"

"你刚刚不是说所有圣诞老人看起来都差不多的吗?"

"别笑我了!你在这里做什么?呃……我们好像是约了在这里见面的啊!"

"对,是这个时代广场,不是纽约的那一个。"

"你什么时候下班?"

"我已经下班了。"

"那走吧!"珍美拉着圣诞老人的衣袖边走边说,"我要请你吃饭答谢你!"

"等一下,我不能穿成这个样子走出去。圣诞老人不会在街上吃东西的。"

"那怎么办?"

"我去换件衣服。你在这里等我。"圣诞老人拎起他那个红色大布袋说。

"好的，我等你。"珍美说。

圣诞老人走了几步，突然又回头叮嘱珍美：

"你等我，你别走开啊！你别走啊！"

"得了！说等你就等你！"珍美回答。

珍美坐到舞台边边，望着圣诞老人背着大布袋的胖胖的身影消失在商场角落那扇银色门后面。过了一会儿，那扇银色门打开，走出来一个挺拔的男生，蓄着清爽的短发，穿着短夹克和牛仔裤，朝气勃勃的样子，深蓝色的背包甩在肩上。

男生走到珍美面前，冲她笑笑说：

"走吧！"

"你是谁？"珍美一头雾水。

"你不是说要请我去吃饭的吗？"

"你是刚刚那个圣诞老人？你这一次真的跟上一次不一样喔！"珍美难以置信地上下打量他，"你不是很胖的吗？"

"我在身上塞了四个枕头。"

珍美恍然大悟，笑笑说：

"你扮得很像啊！我还以为你很老呢。"

"我已经老得有二十三岁了。"

"真的？那你跟我同年呀！"

"但我看起来比较年轻。"

"胡说，看起来比较年轻和漂亮的都是我！"珍美站起来说，"我们两个还没有互相介绍呢，我叫胡珍美。"

"我知道。"

"呃？你怎么会知道？是我上次见面时告诉你的吗？"

"你上台的时候，司仪有读你的名字。"

珍美甩着手里的包包说：

"呃，对对对！那你呢？"

"胡大仁。"

珍美怔了怔：

"胡大人？法官大人的'大人'？"

"是大仁大义的'大仁'。"胡大仁更正。

珍美仰头笑了起来：

"这个名字很爆笑呢！我向来都记不住人家的名字，不过这个名字小女子我一定不会忘记的呀大人！何况，你还跟我同姓，我不可能忘记自己姓什么呢！"

珍美指着从天花上垂挂下来的小雪人，边走边说：

"今年这些雪人很漂亮呢！你有没有见过雪？我从来没见过啊！要是有机会到下雪的地方去，我一定要堆一个雪人！你知道雪人是吃什么的吗？"

"应该是吃雪花肥牛吧？"胡大仁回答。

"错了！是雪花膏。你真的是刚刚那个圣诞老人？"珍美突然有点狐疑。

"不，为了跟你吃饭，我把他捆起来塞进马桶里去了。"

"哈哈，没错，你真的是他，你很诙谐！"

7

"我没想过吃饭的意思是吃这个。"

"等我有钱，再请你吃顿正式的吧！学唱歌很贵啊，而且，我突然想吃这个嘛！"

珍美和大仁并排坐在公园的一张长椅上，两个人各自捧着一盒家庭装冰淇淋。

珍美用匙羹挖了一小口巧克力冰淇淋塞进嘴里，吃得很滋味的样子。

"可为什么你的是巧克力，我的是草莓？"大仁望着自己那一盒冰淇淋说。

"那便可以两种味道都吃到啊。"珍美把匙羹伸过去挖了一口大仁的草莓冰淇淋。

"但我喜欢吃椰子冰淇淋。"大仁说。

"椰子有什么好吃嘛！"珍美皱着鼻子说。

大仁好生奇怪地看着珍美，问她说：

"你输了为什么还这么开心？你去年输了之后，好像打算去自杀。"

珍美情不自禁地摸着刚刚林清扬替她用手帕抹过的那边脸颊，嘴角冒出一丝回味的微笑说：

"你不会明白的了。"

她又问大仁：

"你有没有因为太崇拜一个人，所以不敢接近他，甚至不敢去了解他？"

大仁想了一会儿，回答说：

"有啊！"

珍美连忙问；

"那是谁？"

"我说出来你别笑我。"

"不会啦！快说嘛！到底是谁？"

大仁张开嘴想说，突然又有点害羞地住口，"还是别说好了，我不想太张扬。"

　　"说嘛！我保证会守秘密。"

　　大仁咧咧嘴，正经八百地说：

　　"不就是我自己啰！"

　　珍美扑哧一声笑了出来：

　　"你很像周星驰！"

　　大仁挑挑那两道漂亮的浓眉说：

　　"不会吧？许多人都说我像梁朝伟和金城武的混合体。"

　　"也有许多人说我像张曼玉和王菲的混合体啊！"

　　"所以你唱王菲的歌？"

　　"啊！我喜欢她的歌啊！"

　　"那为什么挑《如风》这首歌？"

　　"我就是喜欢这首歌啊！说不出为什么喜欢，也许是歌词够简单吧。不过我最喜欢的还是《在下一刻爱上我可以吗？》，你有没有听过这首歌？"

　　"很久以前听过，这不是王菲唱的。你既然喜欢，为什么不唱？"

　　"我怕把歌唱坏啊！"珍美仰头望着天空说，"你有没有试过面对崇高时，突然觉得自己很渺小？"

大仁的眼睛也抬起来望着天空说：

"要是额菲尔士峰①就在我眼前，我应该会觉得自己连一只渺小的蟑螂都不如。"

珍美眼睛依然望着天空，一只手摸着左边脸颊喃喃说：

"说得好！他就是我的额菲尔士峰啊！这首歌是林清扬作曲填词的，你今天有没有见到他？"

"你是不是牙痛？为什么整晚摸着这边脸？"

珍美回过头来，发现大仁盯着她看。

"没有啊！"她又挖了一口冰淇淋吃。

"你平常都是这样吃冰淇淋的吗？一吃就是一盒。你吃饭也是吃一桶的吗？"

"这样才痛快啊！"

大仁揶揄她说：

"你是不是有暴食症？每次狂吃之后会把东西全吐出来，所以吃得这么可怕也不胖？"

"你有没有听过青春不胖纤体中心？在报纸上做很

---

① 即珠穆朗玛峰。英文名 Mount Everest。

65

多广告的。"

"你就是在那里减肥的？介绍我去！"

珍美看到大仁那副认真的模样，禁不住咯咯笑了出来说：

"你才不用减肥。要是我像你这么瘦，我不会想到可以扮圣诞老人呢。呃……我忘了我刚才想说什么……"

"你提到青春不胖纤体中心！……"

"呃……对，我在那里上班的。我想说，这个世界就是不公平，有些人怎么吃也不会胖，有些人就是喝水也会发胖。"

"那么，老板应该找你做代言人呀！"

"你别相信那些明星代言人，那些相片全都是经过计算机加工的呀！呃……对了，你为什么会扮圣诞老人？"

"什么扮圣诞老人，我本来就是，现在只是微服出巡。"

珍美瞥了瞥他说：

"很好笑，我才不相信！不说便算，你是我朋友，不管你做什么工作也是我的朋友！呃……我给你猜一个笑话！很好笑的呀！”

"说说看！"

"午餐肉每次见到即食面也会打即食面，可是，有一次，午餐肉见到意大利面却打意大利面，为什么呢？"

大仁懒懒地说：

"因为午餐肉对意大利面说'你别以为你做了负离子直发我便不认得你！'"

珍美怔了怔：

"你以前听过这个笑话？"

"我听过我的学生说。"

"原来你是教书的？"珍美挖了大仁一口冰淇淋吃。

大仁点点头。

"没想到你是老师呢。你在哪里教书？"

"顺德联谊会韦小宝纪念中学附属小学。"大仁回答说。

珍美一听，含在嘴里的一口冰淇淋差点儿喷了出来，咯咯地捧着肚子笑，笑得肚子也痛了。

"你别说笑！你到底是在哪里教书？"

"我就知道你会笑。"

大仁转过去从黑色的背包中掏出他的教师证来递给

珍美看。

珍美一看，才知道他这回不是搞笑，但她还是笑出眼泪来了。

"我面试时也跟校长提议过不如改名，免得老师和学生尴尬啊！"

"那他怎么说？"

大仁耸耸肩：

"他问我要不要改做胡大仁纪念中学。"

珍美本来已经笑完了，这下又笑得弯了腰。她心里想：

"好像从来没有人逗我这么开心笑过呢！"

转眼间，两个人已经把盒子里的冰淇淋吃得光光的。珍美看看手表，有点寂寞地说：

"还有五分钟就十二点啰？我有没有告诉过你我是圣诞节生日的？"

大仁从身上夹克的口袋里掏出一条方形的红色丝巾抖开来放在左手的手心里，"你的眼泪可以借我一用吗？"

"你要来干吗？"珍美摸了摸黏在脸颊上的白水晶

眼泪。

大仁吩咐她说：

"请放在这里。"

珍美把脸上其中一颗眼泪拿下来，小心翼翼放到大仁手上的丝巾里。

大仁随即把那颗亮晶晶的眼泪用丝巾裹起来，灵巧地打了个结，然后放在手里搓揉了几下，脸上的表情神秘莫测。

珍美好奇地盯着他双手看，什么也看不出来。然而，当大仁再次张开双手时，却变出了一朵凝着露水的巴掌般大的红色玫瑰花来。那条红色的丝巾不见了，那颗眼泪也不见了。

大仁把那朵玫瑰递到珍美面前：

"生日快乐！"

珍美接过那朵花，咧嘴笑着：

"谢谢。原来你还会变魔术啊！"

"现在对付那些小学生，没有几道板斧是不行的。我常常恐吓他们说，要是他们够胆在班上搞破坏，小心我把他们变走。"

珍美将那朵玫瑰花凑到鼻子上闻了闻，跟大仁说：

"这好像是你全晚说得最正经的一句话呢。没想到你也有正经的时候。"

听到这话，大仁脸上不禁红了一阵。

珍美从长椅上站起来，把空的冰淇淋盒子丢进旁边的垃圾筒里，拿起包包，问大仁说：

"呃，我二月十四情人节那天会有另一个比赛呀！不过，不是很大规模的比赛，所以我没有很在意就是了。你有时间的话来支持我喔。有你在，我好像比较幸运呢。"

"在哪里比赛?"大仁站了起来，把背包甩到背上。两个人边说边走。

"冥王星。"珍美回答。

"你要我坐火箭去?"

珍美咯咯地笑了：

"是尖沙咀冥王星餐厅啊。你会来的吧？要是到时候我赢了，我再请你吃饭。"

"为什么你参加的比赛都是在节日举行？先是圣诞节，然后是情人节，你端午节有没有比赛?"

珍美扑哧笑了出来。她觉得大仁这么说的话表示他会来。

两个人在公园外面分手之后，珍美拎着那朵玫瑰花，一个人走在灯火依然绚丽的夜街上。她突然想起有句话好像忘了跟大仁说。她停住脚步，回头往他刚刚离开的方向看去，他的身影却已经消失在拥挤的人群里。

　　她到底想跟大仁说什么呢？还是她想说的已经说了？她是不是想说，这个平安夜她过得挺愉快？

第三章

1

有了期待，日子就过得特别愉快，仿佛背上长出一双翅膀似的，做什么都特别起劲。

"老师，你别踩那么快，我害怕！"

"别担心，老师以前是校队来的！"大仁踩着一辆亮晶晶的银色单车一路上敏捷地穿来插去。

今天，坐在他车上的是个约摸十岁，苍白瘦弱，身穿校服和颈巾，戴着瓶底厚近视眼镜的小男生。

两年前从教育学院毕业之后，大仁放弃了港岛区一所著名男校的职位，选择了位于屯门的这所顺德联谊会韦小宝纪念中学附属小学。他觉得这里的孩子更需要他。

住在这一区的都是穷孩子，除了贫穷，还有各样的家庭问题。他们或是父母没时间管教，或是单亲，或是背景复杂的问题儿童。

大仁前一年是二年级的班主任，今年跟学生一起升上三年班。为了更接近这些小孩子，大仁想出了一个方法，就是让班上三十六个学生根据学号的次序每天放学后轮流坐他的单车回家，这样他便可以多点跟他们聊天和了解他们。

这个接放学的服务自推出以来大受欢迎。为了吸引这些孩子坐车，尤其是那些爱炫的小男生，大仁也特别花钱在他的单车上。他这一辆是价钱不菲的名牌，但他还是咬着牙买下来了，每天上学前也把单车擦得光光亮亮。

这天，他车上的是大雄，昨天是技安，明天是叮当。

这三个学生也是特别让大仁费心的。就拿大雄来说吧，他的父母在他很小的时候就丢下他不管，大雄跟着姨父姨母生活，寄人篱下，形成了他郁郁寡欢、胆小怕事的性格。大仁很担心他十三岁之前就会患上抑郁症。

技安是个小胖子，每次轮到他坐大仁的单车，大仁也踩得特别吃力。技安的爸爸和哥哥都是区内的黑帮分子，技安从小耳濡目染，也爱在学校里欺凌弱小，这样下去，技安早晚也会加入黑社会。大仁希望尽一切力量阻止他误入歧途。

叮当是个漂亮的女孩子，姓钟名叮当，却人不如其名，沉默寡言，从来不笑，大部分时候也只会点头和摇头。大仁发现，技安和大雄似乎都暗恋叮当。然而，这两个小男生表达的方式截然不同。大雄从来不敢走近叮当，只敢老远偷看她。

相反，技安常常欺负叮当，不是抢她的功课来抄，就是扯她头上的马尾，不时恐吓她说：

"笑一个给我看！不笑信不信我打你！"

可技安从来就没动手。

技安只是爱装凶和装酷。就拿昨天来说吧。技安坐在大仁的车尾，这小子本来就已经肥头大耳，营养过剩，他住的那幢公屋偏偏还位在斜路顶上，每次也害大仁踩得满头大汗。

"你可不可以踩快一点！我走路都比你快！"技安在后面吃着口香糖，张开两条手臂，叉开两条肥腿不耐烦地说。

大仁喘着大气说：

"等你减肥再说!"

"我对这个接放学服务很有意见!"

"说来听听,但我不一定接受。"

"这单车又旧又土,你什么时候换过一部新的?"

"你还好意思说?我这部车才用了半年,光是你一个人就坐爆了我两条轮胎。"

"不如你换一部跑车!跑车威风啊!女孩子都喜欢!"技安雀跃地说。

"你又不是女孩子!"大仁憋住笑说,"我有跑车也不载你。"

"你敢不载我?你信不信我打你?"

"你知不知道我是柔道黑带?"大仁转头瞄了技安一眼,挑挑眉毛说。

技安露出崇拜的眼神,停了一会儿,又说:

"喂,你有没有女朋友?"

"我跟你说过多少遍,要是你想我回答你的问题,要先说'老师'。"

"喂老师,你有没有女朋友?"

"没有。"

"她们是不是嫌你穷?"

"你信不信我打你?"这回轮到大仁说。

技安害怕地吐吐舌头,接着又问:

"没有女朋友,你情人节怎么过?"

"关你什么事?"

"哼,你这么说,信不信我打你?"

"你这个是不是问题?"

技安撅着一张小肥嘴,乖乖地说:

"喂老师,你信不信我打你?"

大仁喘着气,脸上一径挂着微笑。平安夜那天,他和珍美在公园外面分手时,交换了电话号码。两个多月来的这段日子,他没打过去,她也没打过来,然而,因为有一个"冥王星"之约在时间的那一端等着,反而让期待滋长。

想到过两天就可以再见到珍美,大仁愈踩愈快,愈踩愈起劲,单车终于爬上了斜路顶。

"喂!喂!你别踩那么快!信不信我……"技安的声音在后面喊。

风从他脸上吹过,大仁嘴边一径挂着微笑,对珍美的感觉鲜活如昨。

单车终于爬上斜路顶。大仁抹抹头上淋漓的汗水,把车煞停，转头跟技安说：

"到了！"

可他后面一个人也没有。他大惊之下四处张望，发现一团肥墩墩的东西正连人带书包滚下斜路，边滚边喊上来：

"你信不信我打——"

2

珍美真的是吓坏了，她只懂一动不动地僵在外面。

"你是不是要进来？"电梯里只有林清扬一个人，他一手插着裤袋，一手按住电梯，脸露微笑地问珍美。

"呃……"珍美好不容易才挪开穿着厚底高跟鞋的脚步，害羞地踏进电梯里。

她跟大棵葱学唱歌一年了，从来就没有在这幢公寓里遇到过林清扬。这天她迟到了，三步并两步地撩起身上的裙子奔跑进大堂来。眼看电梯门正要关上，她大喊一声：

"等一下！"

当电梯门慢慢打开时，站在里头的竟然是林清扬。

珍美进了电梯之后，一直站近门，低着头，不敢望向林清扬。

　　"你上几楼?"林清扬问。

　　"呃……十二楼。"她小声回答，一颗心禁不住乱跳，这才明白胡大仁说的，当一个人看到额菲尔士峰的时候，那种觉得自己连一只渺小的蟑螂都不如的感觉。

　　电梯缓缓往上升，林清扬突然问她:

　　"我是不是在哪里见过你?"

　　珍美心里兴奋地喊:

　　"天啊! 他认得我!"

　　"呃……是的，我们平安夜那天在时代广场见过，那天我是参赛者，你是评判。"珍美含情脉脉地瞥了林清扬一眼，心里想:"他的黑发好柔软好漂亮啊! 发梢微微翘起来，就像鸭子尾巴般可爱呢。"

　　"呃，对，你的名字好像是……"

　　"胡珍美。"珍美回答。

　　林清扬用手拨了拨头发，又问她:

　　"你上十二楼，是跟吴匆匆学唱歌吗?"

　　珍美像捣蒜般点头，回他说:

　　"呃! 我明天有比赛。"

就在这时，珍美的手机突然响起。她浑身一抖，禁不住脸红起来。她的铃声用的正好是林清扬那首《在下一刻爱上我可以吗?》，为什么不早不迟偏偏是这个时候啊? 她要把打电话来的这个王八蛋碎尸万段。

她慌忙从包包里摸出手机来贴到耳朵上，压低声音说：

"喂……"

电话那一头传来佳佳的声音。

"喂，珍美吗? 你在哪里? 我……"

"待会儿再说!"珍美连忙挂断电话。

"你很喜欢这首歌吗?"林清扬看着她，嘴角冒出一丝迷人的笑容。

珍美脸上一阵红晕，只懂把包包揣在怀里，猛点头。

然后是一阵让人心跳加促的沉默。

正在往上升的电梯突然停住了，电梯门在珍美眼前缓缓打开。

"你到了，再见。"林清扬提醒她。

珍美猛然醒过来。她踏出电梯，依依不舍地瞥了瞥林清扬说：

"再见。"

珍美走了几步，林清扬的声音突然在她身后响起。

"珍美……"

她连忙朝林清扬转过身去。

他人在电梯里，微笑说：

"明天的比赛要加油啊！"

直到电梯门已经关上很久了，珍美依然杵在那儿，丢了魂魄似的，喃喃跟自己说：

"知道了！我一定会赢！我不会让你失望的！"

3

珍美不敢相信，她就这么赢了。

当司仪宣布她的名字时，她还以为自己听错了，直到她看见大仁和佳佳两个人不停在台下向她打手势，她才知道是她得到第五名没错。

她连忙扑出去舞台中央，还险些摔了一跤。她从颁奖嘉宾手上领到一个小小的冥王星形状的银色奖杯。她兴奋地吻了又吻那个奖杯，不停举出胜利的手势，大仁和佳佳在下面使劲为她拍掌，她本来想绕场一周感谢观众，但司仪把她拦住了。

今天晚上真的是太完美了。珍美染了一头橘子色的曲发，画了一张丰满的红唇，身上穿的是一件有点性感的银色紧身衫和一袭黑色泡泡迷你裙，把她美好匀称的身材表露无遗。佳佳说，现在唱歌好不好没关系，最重要是长得漂亮。要是一个人长得像河马，唱歌再好也不会有人想听。

珍美今天的表现也是超水平。她唱歌好像没走调。她也没忘记歌词，这全都多亏大仁。大仁一早就已经到了冥王星餐厅，身上穿一件黑色的夹克。当珍美和佳佳一块来到时，大仁叮嘱她：

"待会儿你出场，记住要望我！记住啦！我会坐在左边第一排。"他指给珍美看他的座位。

待到珍美出场时，她紧张地望向观众席左边第一排，看到大仁已经脱下了刚刚那件黑色夹克。原来他里面穿了一件黑色的汗衫，《如风》的歌词就用荧光笔全抄在上面。在黑漆漆一片的台下，珍美反而看得清清楚楚。

不知道为什么，一看到大仁，珍美一颗心就安定了，两个膝盖也不抖了。她眼睛望着大仁壮阔的胸膛，一字不漏地悠悠唱着歌。

不过，她拿到第五名，最要感谢的还是林清扬。他昨天要她加油的那句话，一直鼓舞着她。为了他，珍美才会勇猛得像赛狗场上的参赛狗，对前头那只电兔穷追不舍，这才给她跑出个第五名。

虽然不是第一名，但毕竟是她有史以来头一次赢啊！

"我们去哪里庆祝？"

珍美拿着奖杯奔跑到台下跟佳佳和大仁兴奋地又跳又拥抱时，佳佳问她。

"我有一个地方要去。"珍美说。

"你要去哪里？明明说好赢了要一块庆祝的嘛！你今天是零的突破呀！"佳佳嚷着说。

"你们去新钊记等我，我很快就来！"珍美跟佳佳说完，又抓住大仁身上那件写满歌词的汗衫，感激地说，"你是怎么想到这个的啊？"

大仁诙谐地回答：

"我在餐厅外面买的，什么流行歌都有。"

"你要去什么地方快点去嘛！然后早去早回！"佳佳

在旁边催促她。

"得了！你们吃着等我！"珍美拎着奖杯，头也不回地飞奔出去。

4

珍美眯起一只眼睛，贴到大门的孔眼上往里看，林清扬的公寓里静悄悄的没有光，他不在家。

珍美有点失望地转过身子背靠门板上。她很想告诉林清扬，全靠他的鼓励，她今天拿了第五名。

可他什么时候才回来呢？

她等了又等，眼睛一直望着电梯。然而，每次当电梯门打开，走出来的都不是他。

珍美撅起嘴望着捧在手里的奖杯，突然想到什么似的，嘴角浮起一丝笑意，心里说：

"这不是更好吗？"

她用衣袖把手里的奖杯擦得亮晶晶的，然后蹲下去，小心翼翼放在林清扬家的大门前，站起来，看了看，又蹲下去把奖杯移正，再站起来退后几步看了又看，心里想：

"这奖杯虽然小了点，他不可能看不到吧？除非他有夜盲症。噢，不，他眼睛这么漂亮，不像会有夜盲症啊。"

珍美脸上挂着满怀憧憬的微笑，眼睛望着奖杯一直往后退，退到电梯里。她要把这个奖杯，还有以后拿到的所有奖杯都献给林清扬。

电梯门缓缓打开，珍美走出来，脸上一径挂着微笑走出那幢公寓。

走了几步，珍美突然听到身后传来一男一女的嬉笑声，那个男的声音有点耳熟呢。她转头一看，竟然看见林清扬跟一个女的一起。

珍美连忙躲到停在路边的一辆货车后面。她悄悄探出头来，看到林清扬跟那个女的边走边说，那个女的长得挺漂亮，可她身上穿的那条皱巴巴的深绿色裙子，让她看上去活像一只穿山甲似的。

看着林清扬跟那个女人双双进入公寓，珍美失神地杵在货车后面，脸上憧憬的微笑消失了。幸好林清扬没看见她。

原来他已经有女朋友。

天气有些冻人了，珍美衣衫单薄，哆哆嗦嗦的一个人走在灯火阑珊的路上。她多傻啊！林清扬怎会喜欢她胡珍美呢？

可她转念一想，像林清扬这么出众的男人，怎么可能没有女朋友呢？额菲尔士峰那么崇高，山下又岂止一只渺小的蟑螂？也许还有穿山甲和大蜥蜴啊。

"然而，那又有什么关系呢？"珍美想。喜欢一个人，是毋须让他知道的，只要他快乐就好了。

是啊！只要他快乐，纵使他的快乐是用她的泪水打造的，那么，她的眼泪也就没有白白浪费掉，而是变成了酒，含笑喝下去，真诚地跟自己干一杯。

5

"酒！我要喝酒！给我拿酒来！"

大仁这个晚上真够糟糕的。他们在茶餐厅里等了又等，珍美没来，佳佳却不停灌啤酒，灌得醉醺醺的，抓住大仁滔滔不绝地诉苦，说她那个叫麦基的男友情人节丢下她一个人。

她已经喝得快要不省人事了，现在还嚷着要喝。

大仁不时望向餐厅入口，有点心焦地问佳佳：

"珍美会不会去错了地方？"

佳佳趴在桌子上，一只手支着头说：

"不会啦！我们每次都是来这家新钊记，珍美超喜欢吃这里的蒸鸡饭。"

"呃，我知道她跑哪里去了！"佳佳突然坐直身子说，"她呀，一定是去找那个人。"

"那个人？"

"就是那个作曲家林清扬呀。呃……我可以再要一罐啤酒吗？我心里苦呀！"

"请随便喝。那个人是珍美的男朋友吗？"

"不是啦。珍美很崇拜他就是了。珍美说过，他就像什么峰一样伟大……呃……到底是什么峰呢？欧阳峰？乔峰？"

"是不是额菲尔士峰？"

"呃……对对对！你千万别说是我说的啊！人家根本跟她不熟，只是昨天碰上了，好像是鼓励了她一下，她现在一定是去报喜了。我最了解她了，珍美死心眼得很！就像我对麦基一样。"

大仁默然无语地望着街外，看样子，珍美是不会来的了。

大仁扶着喝得几乎不省人事的佳佳回到她和珍美的小公寓。公寓里空空的没有人，珍美还没回家。

"请随便坐喔!"佳佳脸红红地瘫在客厅中央那张红色沙发里。

这就是珍美的家了，大仁四处张望，一种温暖的感觉浮上心头。

墙壁上和每个房间的门上全都画上一个很可爱的大头娃娃，用色和造型都活泼，让人一看难忘，禁不住会心微笑。

大仁指着墙上的图画问佳佳：

"这是谁画的?"

"呃? 你说这些大头珍珍，都是珍美画的呀!"

"为什么叫大头珍珍?"

"大头珍珍就是她自己呀! 她这人记性很坏，我们都叫她大头珍! 呃! 还有!"

佳佳醉步浮浮地走进珍美的睡房。过了一会儿，只见她拿着一本厚厚的图画簿歪歪斜地走回来。

"这是她画的，她有事没事就爱乱画。"佳佳把图画簿塞给大仁。

90

大仁坐到一把椅子上，手里捧着那本图画簿，一页一页地翻看，里面的图画颜色缤纷，想像力丰富。

"这些画她画了多久?"他问佳佳。

佳佳那边没回答。

大仁转头去看她，才发现佳佳不知什么时候已经像尸体一样动也不动，睡死在那张沙发上了。

冷风从敞开的窗子吹进来，夜有点凉，大仁一个人静静地坐在客厅里。那本图画簿放在膝盖上，他一页一页地翻下去看得出神，好像也看到珍美画画时的模样。

这一刻，旧时的感觉又重回心头，他没想到，一个他原本以为很糟糕的夜晚，会由这些缤纷的色彩轻轻抚过，感觉没那么糟了。

6

珍美没精打采地回来时，家里静悄悄的，客厅里亮着一盏小灯，窗子全都关好。

她发现佳佳弓着双脚睡死在沙发上，这才想起她本来约好了佳佳和大仁在新钓记见面，她竟忘得一干二净了。

既然她那么容易忘记事情，为什么偏偏还没忘记林清扬今天晚上带着穿山甲一起回家的那一幕呢？

　　她把佳佳的身子挪过去一些，一屁股挤到沙发里，抬起双脚搁在面前的方形茶几上。她的脚这时碰到一样东西，她直起身子一看，那儿放着一个小小的饭盅，饭盅用一条厚厚的毛巾一层层裹起来，还在前面打了个结，只露出白色的盖子。

　　珍美掀开盖子看看，原来是她喜欢吃的蒸鸡饭。好香啊！她连忙松开那条毛巾，饭捧在手里还暖呢。她肚子早就饿扁了，拿起匙羹大口大口地吃饭。

　　佳佳半张开眼睛看到她，迷迷糊糊地说了一句：

　　"呃，你回来啰？"

　　"是你买给我吃的吗？"

　　"我？我好像没有呀。"佳佳一头雾水，翻了一下身又昏睡过去了。

　　"不是你还会有谁啊？可你平常没这么细心的呀。你变了。竟然想到用毛巾裹着保暖。谢谢你啊佳佳。"夜阑人静，珍美吃着饭，有点凄凉地说：

　　"你对我真好。要是你是男人的话，我说不定会爱上你呢。"

"我就知道你胡大仁大义凛然大智若愚大方得体大人不记小人过，不会生我的气，我那天不是故意放你鸽子的。"

"你不用再大下去了，想跟我道歉也用不着大老远跑来学校找我吧？"

珍美穿着裙子侧身坐在大仁的单车尾上，替他抱着背包，咧嘴笑着说：

"没关系啊。今天我放假，顺便去老人院看我奶奶，从老人院到你这里很近呀。"

大仁边踩着单车边说：

"奶奶好吗？"

珍美怔了怔：

"你认识她？"

"怎么会？她为什么会住老人院？"

"她有老人痴呆啊。这个病时好时坏的，她上次认得我好像已经是很久以前的事了。"珍美撅撅嘴，又说：

"原来你真的是在教小学的呀！"

"不然你以为我是在那儿念小学吗?"

珍美咯咯地笑了,说:

"学校里今天为什么没有学生?"

"星期六没有课,我是回来开会的。"

珍美瞄了瞄大仁的单车说:

"你这部单车很漂亮呢。"

大仁得意洋洋地说:

"算你有眼光!我新买了才半年。"

"很贵吧?"

"那还用说?"

抵达火车站之后,大仁从背包里拿出一把簇新的锁链把单车锁在火车站外面的停车区。

"你就把它放在这里?"

"我每天都是这样。总不成从九龙家里一直踩来屯门吧?走吧!"

两个人爬上楼梯,到了火车站月台,登上一列开往市区的火车。

"你打算请我吃什么赔罪?日本菜还是法国菜?"大仁挑挑眼眉问。

珍美豪气地说:

"就吃日本菜吧！"

大仁咧咧嘴：

"果然有诚意道歉！"

珍美接着说：

"日本回转寿司！"

大仁瞪大眼睛：

"什么？唉，也好吧！回转寿司好歹也是日本菜。"

珍美朝他努努下巴说：

"什么好歹也是！根本就是！"

珍美的手机这时响起，她在包包里慢条斯理地掏出手机贴到耳朵上。

"喂，我是。你是谁？你是创世记？"珍美朝大仁扮了个鬼脸，没好气地对着电话那一头的陌生人说：

"真好笑！你是创世记，我就是马太福音！"

大仁哈哈地笑了，珍美更笑得捧着肚子，喘着大气又问那人：

"你到底找谁？呃？你不是创世记，你是邝世纪先生？"

珍美这会儿张大嘴巴，笑不出来了，战战兢兢地对着手机说：

"呃……邝先生，是的，你没找错人，我是胡珍美。找我试音？现在？我有空啊！好的！我马上就来！"

珍美挂掉电话，抓住大仁两个衣袖说：

"他是邝世纪啊！"

大仁怔了怔：

"邝世纪是谁？"

"你没听过他的名字吗？他是著名的唱片监制，冥王星那天的比赛，他是评判之一呢！他要我现在去试音！"

大仁狐疑地说："你？"

"呃，找我试音有什么出奇？"

"不是冠亚季军才可以试音的吗？"

"那就证明我唱得比他们都要好！"

珍美突然整个人扑到车门上问：

"这列车什么时候才到九龙啊？"

大仁连忙把她抓回来：

"你想跳火车呀你！"

珍美急得磨蹭着脚，抱歉地跟大仁说：

"对不起，我今天不能请你吃饭了！"

"你要不要我陪你一起去？我可以在附近等你，有个人给你壮壮胆。"

珍美眼睛一亮：

"也好啊！有你在身边，我运气特别好。就像今天，连创世记都找上门来了！你真是我的圣诞老人！"

大仁耸耸肩，笑得有点无奈。

8

胡大仁有多么无奈？

那天，他陪着珍美去唱片公司试音。望着她走进那幢大厦，他留在外面等她。她唱歌唱成这样，只有她自己不知道，又怎么可能会有唱片公司找她试音？大仁就是不放心。

等到珍美终于从那幢大厦出来，大仁才放下心头大石。

珍美一走出来，就兴高采烈地拉住大仁说：

"你真是我的吉祥物！邝世纪说要签我做歌星啊！"

"你已经试音了？"

"没有啊！"

"不是说来这里试音的吗？"

"他说那天在冥王星已经听过我的歌声，所以就不用再唱了。"

大仁狐疑地问：

"他还说什么？"

"呃……他说我将会是公司 2000 年的秘密武器！他还说我会比王菲更红！"

"你？"

珍美猛点头，手指指着大仁说：

"你不相信对吧？我自己也不相信！没人会相信！"

"那谁相信？"

"邝世纪要我相信他！所以我要相信！你要相信！"

大仁觉得这个邝世纪实在是太可疑了。有谁竟然说珍美会比王菲红，这人要不是聋的便是居心叵测。

然而，看到珍美满怀希望的样子，大仁不忍心扫她的兴。他问她说：

"他有没有要你签什么合约？"

"没有喔！呃……他为什么不马上跟我签约呢？"

"合约别乱签，先拿来给我看！我英文比你好。"

珍美笑笑说：

"知道了！"

98

大仁又说：

"这个邝世纪要你做什么之前，你也要先找人商量一下。"

"唔……我会跟佳佳商量，我什么事都会跟佳佳商量。"

"佳佳不行。"

珍美怔了怔：

"为什么？"

大仁没好气地说：

"佳佳比你还要蠢。"

珍美盯着大仁，冲他说：

"呃？你说什么？"

大仁咧咧嘴，憋住笑说：

"你这么聪明，她比你蠢有什么稀奇？"

珍美笑开了：

"那倒是！可你千万别在佳佳面前这样说。她受到麦基长期的打击，自信心很脆弱的啊。呃……那我该找谁商量？还有谁比我聪明？"

大仁连忙清清喉咙，引起珍美的注意。

珍美眼珠子一转，搭住大仁的肩膀，咧嘴笑着说：

"对呀！我还有你呢，你好像比我聪明。"

"什么好像？根本就是！"

大仁故意装出一副勉为其难的样子说：

"唉，好吧！你做什么都先跟我商量一下。我是你的吉祥物，问过我准会事半功倍。"

"知道了！自从认识你之后，我好像一直都走运呢。我太高兴了啊！"珍美甩着手里的包包走在前面大声说。

突然间，她停住了脚步，转过身来盯着大仁，笑笑说：

"难道你是来报恩的？"

大仁脸上起了一阵波动。他抿抿嘴唇，乌亮亮的眼睛望着珍美，默然无语。

珍美掉转脚跟，重又往前走，没看到大仁脸上的波动。随后她自言自语说：

"要不是这样，我们两个人为什么会认识啊！"

大仁收起了心中要说的话，叮嘱她：

"总之什么都跟我商量一下。"

"得了！得了！我们打钩钩好了。"她快乐地朝大仁竖起一根小指。

尽管珍美嘴里答应，大仁还是替她担心。

可他能做的也只有担心。他难道能够像哥哥一样管她吗？

他也不可能干涉她的生活。

面对她的自由，他只能够无奈地往后退，默默地祝福她。

珍美毕竟有自己的日子要过，又何况，那天分别之后，一个月都过去了，珍美并没有找他，没有跟他商量什么。她说不定已经忘记了他的叮咛，甚至忘掉了他，不知不觉地，把他的身影从生活中抖落了。

9

珍美这个月的日子过得很糟就是了，她不知道为什么会这样。

那天头一次跟邝世纪在唱片公司见面时，他说公司将会不惜工本打造她成为2000年的超级新人，还会把最好的作曲家和作词人找来。

然而，一个月下来，珍美什么人也没见到，每天只是陪邝世纪吃饭。吃饭时，邝世纪都灌她喝很多酒，珍美只好陪他喝。结果，邝世纪每次都首先醉得不省人事，趴在桌上打呼噜大出洋相。珍美不想喝酒就是这个原因，她一向喝多少都不醉。

日子一天天过去，每当珍美问邝世纪什么时候开始录唱片，邝世纪都会敷衍她说：

"我要多点跟你聊天，了解你，才知道你适合唱什么歌。你以为出唱片这么简单的吗？"

有一次，珍美因为要加班而不能陪邝世纪吃饭，邝世纪有点不高兴地说：

"你这人怎样搞的？你到底想不想唱歌？"

珍美只好把心一横回去辞职，反正她迟些忙着录唱片也是要辞职的。

佳佳知道她要辞职，还担心她会搬走。

珍美安慰她说；

"你和我都是孤零零一个人，我不跟你住跟谁住？我怎么舍得搬走？"

发生了那么多事，珍美本该找大仁商量一下，听听他的看法。然而，她担心大仁会觉得她是个虚荣的女孩子。

她宁愿等到有好消息的时候才告诉大仁，让他夸奖夸奖她。

可是，这天晚上，珍美知道不会有什么好消息了。

这一天，珍美跟邝世纪两个人在一家小餐厅吃饭。邝世纪学乖了，只喝了两杯酒。

饭吃到一半，珍美终于忍不住问：

"邝先生，我们什么时候会签约？"

邝世纪没回答，一味色迷迷地望着珍美的厚嘴唇，说：

"有没有人说过你嘴巴很性感？"

珍美一脸尴尬地笑笑，冷不提防邝世纪这时突然伸手过来捏了她的屁股一下。

珍美吓了一跳，连忙拨开邝世纪那只手，质问他：

"你干什么你？"

邝世纪脸色一沉，有点生气地说：

"你别装纯情了！像你这种女人我要多少有多少，我跟你玩是给你面子！你以为自己是什么料子？五音不全也可以当歌星！"

珍美两片嘴唇哆嗦着，脸上禁不住流下一滴颤抖的泪水。她没说话，慢慢弯下身去。当她站起来时，手里已经抓住一只高跟鞋，不由分说地往邝世纪头顶砸下去。

"哼！现在让你看是谁五音不全！"

她说完，一拐一拐地走出餐厅，边走边把那只鞋子穿回脚上。

10

"珍美，你怎么了?"

一把熟悉的声音在她身后响起。

"你来了?"珍美幽幽地说。她背朝着大仁，没转过脸去看他。

"你没事吧?"大仁气急败坏地说。

刚才珍美满怀羞辱地从餐厅走出来，好想找个人说话，大仁正好打到她的手机。

他就像他一向那个样子，爱跟她耍嘴皮，逗她说：

"喂！胡珍美，我是胡大仁。你这人怎么这么没口齿？上次答应请我吃回转寿司，我等到脖子都长了。你难道想赖账不成？"

珍美听到大仁的声音，眼睛一热，就禁不住哗啦哗啦地哭起来，哭得上气不接下气，眼耳嘴鼻全都扭在一起，稀里糊涂地不知自己说了什么，只听到大仁紧张的声音说：

"你在哪里？别走开，我马上来！你等我啊！"

她孤零零杵在夜静的皇后像广场等着，没想到大仁很快就来了。

珍美有点沙哑的声音说：

"我是不是很没用？二十三岁了，一事无成……为什么我的人生过得那么烂？没钱没男友没工作没有人爱我……整天只会做歌星梦？我真讨厌我自己！"

大仁温暖的声音在她身后说：

"你转过身来再说话。"

珍美倒抽了一口气，低垂着头，缓缓转过身去。她右边眼肚上瘀青了一块。

大仁一看，忙问她：

"你怎么了？刚刚在电话里你不是说你用高跟鞋砸他头顶的吗？"

他看了看她的脸，冒火地说：

"他是不是打你？"

珍美连忙摇着头说：

"是我自己走出餐厅时不小心在沟渠边摔了一跤。"

她惭愧地瞥了瞥大仁，发现他头发乱糟糟，身上的呢绒夹克穿反了，一只脚上是白色球鞋，另一只脚上却是黑色球鞋。

她望着他双脚，问他说：

"为什么你两只鞋不一样？"

大仁低下头去看了看自己双脚，没表情地回她说：

"我就是喜欢这样穿。"

珍美站累了，坐到脚下的台阶上，两个手肘沮丧地支着膝盖，问大仁说：

"你坦白告诉我，我唱歌是不是很难听？我到底是不是五音不全？"

她抬起黑溜溜的眼睛可怜巴巴地望着大仁，冀求着他的一句安慰。她希望有个人告诉她，她其实没那么糟。

"你岂止五音不全！"她没想到大仁会突然冒出这句话来，然后连珠炮发似的冲她大声说，"你简直不适宜唱歌！你连唱歌和朗诵的分别也不知道，荒腔走调不在话下，一唱到高音就变成斗鸡眼！只有你自己不知道！"

珍美呆了一下，脑筋一时没转过来。她以为大仁是在说笑，可这笑话也未免太刻薄了些吧？然而，当她看到他脸上一笑不笑，才知道他不是在说笑。

她撅撅嘴，委屈地咕哝：

“你这么凶干吗？人家才刚刚从魔掌逃出来呢。枉你还说为人师表，一点爱心也没有。我叫你坦白，没叫你这么坦白，就算我肚里可撑船，也会难堪的呀。”

“难堪？你懂什么难堪！”大仁恼火地指着她那头染成橘子红色的曲发说，“你看你！你头发什么时候正常过？不是像一捆电话线就像一盘红萝卜。你别以为有几分姿色就可以当歌星！你能当歌星我也能当美国总统！”

“胡大仁！”珍美脸憋得通红，一肚子火从台阶上拔起身来。他不安慰她也还罢了，这么说话也真够混蛋的。她叉起腰吼回去：

“我什么地方得罪你了！我跟你说，你别得势不饶人！我唱歌走音关你什么事！我头发爱怎样就怎样！轮不到你管！你能当美国总统我就是你老子！你什么东西你？你以为你是谁呀！”

“我是……”大仁说到嘴边的话突然打住。

“你说呀！你是谁！”珍美恼怒地把高跟鞋从脚上拔下来，作势要朝他砸过去。

大仁抬起手挡住头，边退边说：

“我爱是谁就是谁！你是我老子我就是你老子的老子！你这只鞋砸过色魔别砸过来！”

珍美二话不说把高跟鞋朝他砸过去，怒气冲冲地吼道：

　　"是另一只！"

　　大仁身子一侧，那只鞋从他面前飞过去了，丢在老远的后头。

　　"哼！好身手！"

　　大仁拍拍身上的灰尘，挺挺胸膛说：

　　"哼！我柔道黑带！"

　　"哼！我恒宇仁龙拳资优班！"珍美捋起两个衣袖恶狠狠地一拐一拐走上前。

　　大仁连忙扎稳马步说：

　　"有种别过来！"

　　"我现在就过来！"珍美朝大仁大步走过去。

　　她从他身边走过时却没停下来。她俯身拾起那只高跟鞋拎在手里，突然觉得心里有股泪意。她憋着泪往前走，没回头去，一边走一边把鞋子穿回脚上，颤抖的声音，既是说给他听，也是说给自己听：

　　"我胡珍美没交过你胡大仁这个朋友！你是谁也好！我会忘记你！我会忘记你！忘记你怎么对我！那我就不会记得你怎么侮辱我！我就不会伤心！"

第四章

1

大仁真想随便拿些什么砸到自己头上去。那天晚上他好不容易才想出一个借口找珍美。

其实，珍美已经请他吃过回转寿司了。可她记性不好，也许会不记得。要是万一她记起来，说：

"我不是请你吃过了吗?"

那么，大仁也早已经想好了怎么说。他打算装着给她识穿了，然后打哈哈说：

"想骗你一顿饭吃还真不容易。"

可他听到珍美在电话那一头哭得上气不接下气，他担心得什么都不记得了，抓起衣服就飞奔出去。

然而，当他看到珍美把自己弄成那个样子，他不由得火冒三丈，骂了她一顿，还把话说得那么难听。

她那么可怜的一个女孩子，被人欺负，找他出来，也不过想听几句安慰的说话。这下可好了，珍美不会再找他，他也休想再见到她。

　　火车缓缓驶进月台停下来。大仁甩上背包没精打采地走出火车站，穿过早上赶着搭车出市区上班的人潮，来到车站的停车区拿他的单车。

　　老远看到他那部车子时，他张着嘴定住了。他的单车是他的吗？昨天明明还是好端端的，现在从头到尾给人用喷漆喷花了，简直是惨不忍睹。

　　他一看就知道是谁做的。

　　"哼！我没有做！"给大仁抓到教员室的技安不忿气地说，"你冤枉我，信不信我打你！"

　　不是技安还会有谁？这阵子，大仁心情本来就不好。上星期批改测验卷时，他一看到技安的测验卷就看得眼睛冒火，把测验卷丢到技安面前质问他：

　　"你写什么鬼东西？"

　　技安叉开双脚站着，神气地说：

　　"造句啊！"

　　大仁生气地说：

"造句啊？那好！你给我念来听听！连题目一起念！"

"念就念！"技安撇撇那张小肥嘴开始念：

勇敢。陈小勇敢打他老子。

思念。周思思念书的成绩一向很好。

忘记。丁芳芳过目不忘记性很好。

伤心。妈妈说，酒喝得多伤心又伤身。

"你这造什么句你！"大仁气得给了他一个零鸡蛋。

这一刻，看样子并不是技安做的。技安不像会说这种谎。

不是技安又会是谁？大仁想，也许是附近的流氓吧。他近来当黑就是了。

然而，一个星期之后，当他早上走出火车站，走路去拿他的单车时，他发现他花了大半天才把漆油擦掉的单车可怜巴巴地停在那儿，一条轮胎不知道跑哪里去了。

2

　　珍美从便利店没精打采地走出来，口里咬着一排Kit Kat，边吃边在街上晃荡。她找工作找一天了，两个膝盖都快累瘫。早知道当初就不该那么鲁莽辞职，她没想到她的工作这么快给人顶上了。如今市道不好，她手头上的钱快花光了，要是明天再找不到工作也不知道怎么办。

　　天已经暗下来了，珍美走着走着，又来到那家宠物店对街的拐角。她幽幽地杵在那儿，目光越过街上的路人，看进店里去。

　　珍美看到那个窈窕清秀的长发女子脱下了身上的工作袍，坐在摆了饭菜铺上报纸的一张小小的折叠桌子前面。她对面坐着一个年纪和她差不多，理了个小平头的男人，两口子有说有笑地吃着看起来很美味的饭菜。

　　珍美有点苦涩地吞吞口水。要是大仁在这里该多好啊！有他在就有个说话的人。那天大仁一听到她在电话里哭就赶出来，也真够朋友的。他也不过就是说话坦白了些吧，她却将一肚子的屈辱一股脑地发泄到他身上。

这下可好了，大仁再不会理她，她也没借口找他。大仁可是她认识的人之中最聪明也最有趣的啊，所以当初才会跟他像一见如故似的。

最后的一片 Kit Kat 吃完了，珍美用手揩了揩嘴巴，看向店里正在吃饭的那两个人，禁不住又摸着肚子吞了吞口水。熟悉的手机铃声这时响起，她有气无力地从包包里掏出手机，贴到耳朵上说了一声：

"喂——"

"喂……珍美吗？我是大仁。"

电话那一头传来大仁久违了的声音。珍美一听到他的声音，精神一振，本来想说：

"是你啊？"

可这句话说到嘴边忽然改成满不在乎的一句：

"哼！是你？找我什么事？哼？什么？你敢怀疑我？我现在就过来，你有种别走开！你别走开你！"

3

茶餐厅里人声鼎沸，弥漫着食物温饱的香味，珍美多么想念这里的蒸鸡饭、水饺面，还有热腾腾的鱼片粥

115

和炸酱面啊！她失业了大半个月，几乎天天都在家里吃杯面，这些杯面还是佳佳买的。佳佳虽然有工作，可佳佳的钱常常用来补贴那个软饭王麦基，最近就给他买了一部最新型号的手机，因此佳佳也比她好不了多少。

珍美这边厢把一口鸡饭塞进嘴里，那边厢又吃一口鱼片粥，她面前还放着水饺面和炸酱面。她恨不得把这里所有的美味佳肴都吃下肚子里去。

"瞧你这副模样，你三天没吃饭啊你？"大仁说，"你这样暴饮暴食，相信很快就可以回去青春不胖了，不过不是回去上班，是回去减肥。"

珍美吐吐舌头，又点了一杯红豆冰，说：

"谁要你！你竟敢怀疑我不敢来吃你这顿和头酒，我就吃给你看！"

"好！你尽管吃！能吃多少就吃多少。"大仁说，"那我们就前事不记啰？"

珍美满足地吃了一口炸酱面，扬扬手说：

"我大人不记小人过！"

"好！"大仁拍了一下桌子说，"我就是喜欢你不像女人！你现在有什么打算？"

珍美叹了一口气说：

116

"我能有什么打算啊？继续找工作啊。呃，你有没有工作介绍给我？我什么都肯做的呀。我这人别的不行，就是能吃苦。"

"有是有——"大仁从背包里掏出一张报名表来递给珍美。

珍美看了一下，不解地问：

"报名表？设计学院？"

"你画画那么有天分，该去念设计。"

珍美怔了怔：

"你怎知道的？你看过我画的画吗？"

大仁认真地点点头。

"你什么时候看过？"

大仁回答说：

"佳佳给我看过你那本图画簿。"

"佳佳真是的！"珍美撅撅嘴说，"我这人嘛就是不爱张扬。那些画我乱画罢了。"

"乱画也能画成这样，不简单。"

珍美啜了一口红豆冰，说：

"不是每个人都会画画的吗？"

"当然不是。"大仁说，"你很有天分。"

珍美喜滋滋地说：

"我可以画得更好！画画太容易了，我觉得简直没什么挑战性。"

"那就别埋没自己的天分。天分不是每个人都拥有的。这个世界上只有很少天才。"

珍美扑哧一声笑了出来：

"你这么说，我觉得自己好像是凡·高。"

"那就去试试看！"大仁指了指她手上那张报名表说。

"还是不要了。"珍美瞥了大仁一眼，把报名表塞回去给他。

大仁问她说：

"为什么？"

珍美回他说：

"我根本不是读书的料子。中学会考的时候只有美术一科拿了个 A，其他全都不合格。"

"设计学院看重的不是成绩，而是天分。会考成绩不是最重要的。"

珍美抚着吃撑了的肚子懒洋洋地说：

"凡·高才不用上设计学院啊！"

"我看你是害怕考不上吧？"大仁瞧了瞧珍美，边说边把那张报名表收回去，"对啊！要是考不上多难堪啊！到时候我一定会拿这件事取笑你，让你无地自容自惭形秽，以后在我面前也抬不起头做人啊！"

珍美撇嘴笑着说：

"你这是激将法啊？你以为我会那么容易便中计吗？"

大仁看了珍美一眼，耸耸肩说：

"你要找下台阶随便你！算是我看错了，你根本就不是什么天才！"

"哼！你把报名表拿回来！"珍美不忿气地说，"我这就考给你看！"

"还是不要了。"大仁边说边把报名表塞回去背包里，"做人呀还是不要逞强的好。输了多难看。"

"你给我拿回来你！"珍美气炸了，伸手过去抓住大仁的一条手臂，把那张报名表抢回来，摊平在桌子上，跟他说：

"拿笔来！"

大仁连忙从口袋里掏出一根原子笔递给她说：

"好！你填完我替你交回去。你那本图画簿明天一并交给我递上去。"

珍美低下头，聚精会神地填表，把每个字也写得端端正正的。写到一半，她突然一脸茫然地抬起头来，问大仁：

"呃……你记不记得我是什么星座的？"

大仁怔了怔，伸长脖子看了看她正在填的那张报名表，不解地问：

"这报名表要填星座的吗？"

"哈哈！上当了！"珍美笑了起来，笔头指着大仁说，"我骗你的啊！哪会要人填星座？"

然而，两个星期都快过去了，珍美开始觉得真正上当的是自己。她干吗那么爱逞强？现在还没收到设计学院的面试通知，要怎么找下台阶啊？大仁到时候一定会取笑她，让她抬不起头来。

或许她到时候可以带点愤世嫉俗地说：

"这个世界没眼光的人多的是！凡·高也是死后才成名的呀！"

可是，大仁一向爱跟她耍嘴皮，他会那么轻易放过取笑她的机会吗？

珍美窝在家里那张布沙发上，屈起一条腿，心不在焉地用红笔在报纸的求职专栏上打圈圈，愈想愈后悔上了大仁的当。

好不容易等到佳佳下班回来，珍美没精打采地说了一声：

"你回来啰?"

佳佳边脱鞋子边朝她晃晃手里的一袋胀胀的东西，说：

"我买了面包啊！关门前全部半价呢。"

珍美懒懒地起身去拿面包，把一个火腿包塞进嘴里。

"呃……"佳佳从大衣的口袋里掏出一沓信来说，"还有这些信。"

"有没有寄给我的?"珍美连忙拿过那叠信一封一封地翻。

佳佳走进厨房里倒一杯水喝，出来的时候，推着一条单车轮胎说：

"你这轮胎为什么一直丢在厨房里啊？还有这东西……"佳佳把手里的一罐喷漆搁到茶几上，坐下来说，"放在厨房里会爆炸的呀！"

"哇呀!"珍美突然大声叫了出来，手里拿着一封拆开的信，走过去搂着佳佳兴奋地说：

"他们通知我去面试呀！"

"什么面试？"佳佳一头雾水地问。

珍美连忙抓起电话说：

"我要告诉大仁！"

她拨了他的号码，挨在沙发上，一听到他的声音就得意洋洋地说：

"你猜我找你做什么来着？没办法，这个世界就是很多人有眼光！设计学院通知我去面试呢。呃？什么时候？让我看看……是下星期啦。"

佳佳凑过去竖起耳朵听珍美跟大仁在电话里说什么。

珍美继续说：

"你早猜到？没有呀！我根本没担心过会没得面试。等我考上了再说？噢，人家好害怕考不上哟！等我考上了想吃什么尽管开口？哈哈，那你死定了……"

等珍美挂了线，佳佳禁不住问她：

"你是不是喜欢胡大仁？你刚刚跟他说话一直都笑得甜滋滋的呢。"

"我只是太高兴罢了！我和他不就是朋友嘛。"珍美把一条腿搁到面前那条单车轮胎上说。

佳佳也把一条腿搁上去，好奇地问：

"你这轮胎到底做什么用？是从哪里弄来的？"

珍美带着几分内疚，尴尬地告诉佳佳：

"不就是朋友的嘛。"

然后，她黑亮亮的眼睛向往地说：

"我心里只有一个人。等我明儿有钱再去大棵葱那儿学唱歌，就可以见到他了。"

4

珍美一个人坐在茶餐厅里，吃一口鸡饭，又吃一口水饺面。看到大仁从门口走进来时，她连忙朝他猛挥手。

大仁匆忙坐到她面前，背包甩下来放在身边。

"你约我出来什么事？"珍美边吃边问。

"还有两天就要面试了，我真的害怕你考不上会自卑。"大仁说着从背包里掏出几张写满字的纸说，"所以呢，我四围打听了一些以前设计学院面试出过的试题，给你练习一下。"

珍美眼睛一亮，说：

"好啊！面试都问什么的？"

大仁抖开手上那几张纸，说：

"都是些很奇怪的问题。"

珍美好奇地问：

"有多奇怪？说来听听，看看我会不会答？"

"这里有一题，主考官可能会给你一张白纸，要你拿这张纸做点什么。"

"我可以画画啊！我就画大头珍珍！"

大仁皱皱眉：

"但考官已经看过你的画。"

"可他们不知道画得多快啊！我画画很快的呀。"

大仁点点头：

"对！天才做事很少慢吞吞的。那你面试时记得带颜色笔去。我到时再提你。呃，这里还有一题，考官可能会给你一条丝巾，看看你拿这丝巾干什么。"

珍美胸有成竹地说：

"我变魔术喔！"

大仁怔了怔：

"你会变魔术的吗？"

珍美摇摇头回他说：

"我不会呀！但你可以教我嘛！你不是曾经用一条丝巾把我的眼泪变成玫瑰花吗？"

大仁脸上红了一阵，把手上那几张纸稍微抬高了一些遮着脸说：

"唔……唔……那好，我待会儿教你用丝巾变……变点什么。唔……这里还有一题，很有趣……"

"怎么有趣？快说来听听！"珍美啜着红豆冰问。

"要是你身上只有二十块钱，这是你全部的家当了，那你明天怎么办？"

"明天是什么日子？我明天在什么地方？"

大仁从那叠纸后面冒出头来说：

"明天就是明天。哪里都一样。"

珍美侧侧头说：

"不一样的呀！要是明天是圣诞节，我在香港，我那二十块钱就用来买一份圣诞礼物送给自己，再坏的事，过了圣诞这天再说。要是明天是新年，我在罗马，我就把这剩下来的二十块钱全都换成铜板，丢到许愿池里许一个愿望。"

大仁禁不住朝她竖起大拇指说：

"答得好！没想到你这人没头没脑还真有点情怀。

你就这样反问考官好了。不过，问题还是要回答的。要假设明天就是明天，你什么地方都没去……"

珍美双手托着头，乌溜溜的一双杏眼望着天花板，她很想说，她身上现在真的只有二十块钱，这就是她全部的家当了。

5

"我就说，我用来买玫瑰花给自己，能买几朵就几朵。"珍美说。这会儿，她坐在回转寿司的吧台前面，三行空空的碟子在她面前堆得高高的。

那天她跟大仁花了一个晚上研究以前的试题，关于这一题，他们想好了几个答案，由她临场再决定怎么回答。珍美没想到结果面试那天真的会出这一题。

那天负责面试的系主任是个女的，一听到珍美的答案就点头微笑。珍美一颗心当场就定下来了。面试结束，系主任告诉她，他们学系一般不会立刻决定取录一个学生，但珍美是个例外，还有珍美那些图画也让他们印象深刻，所以，珍美获得录取了。

"输给你了！"大仁坐在她身边，吃着寿司，露出一副苦哈哈的样子说。

珍美咧嘴笑着说：

"不是早跟你说过嘛！做人还是别逞强的好，输了多难看啊。"

"那什么时候开学？"

"开学？"珍美又拿了一碟寿司，边吃边说，"我没说过要去读书呀。"

大仁呆了一下，问她说：

"为什么？"

珍美叹了口气说：

"我失业这么久了，哪里有钱读书？而且一读就是2年，不可能啊！我连房租都没钱交了。我去报名，只是要证明给你看我能考上。我明天还是要去找工作的。"

"学费你不用担心，我替你付吧！还有房租，也包在我身上。"大仁说。

珍美定住了，转过头来，怔怔地望着大仁说：

"你为什么对我这么好？"

大仁抿抿嘴，告诉她：

"我爱……才！我不忍心看到你这么有才华却没机会读书。"

珍美咬咬嘴唇，感动地说：

"你真是个好老师。能做你的学生真的很幸福。"

大仁松了一口气说：

"那就一言为定！你放心去读书吧。"

珍美却摇摇头说：

"谢谢你啊。虽然有时候我觉得我们好像认识很久了，但我们真的没认识多久，我不能欠你这个人情。那笔钱数目很大啊。"

大仁拍拍胸膛说：

"我钱很多。"

珍美又摇摇头说：

"教书又能赚多少？"

"我刚刚继承了一笔遗产！"

"遗产？"

"呃……是个远房亲戚的，他生前只有我一个亲人。数目不是很大，但我一个人怎么花也花不完，挺烦的，找个人帮忙花一点也好。你现在反正也失业，不如干脆去读书吧，等找到工作还可以半工半读啊。要是你不想欠我人情，将来有钱再慢慢还给我吧。"

珍美望着大仁说：

128

"你难道真的是来报恩的？我们以前认识的吗？"

过了一会儿，她突然又说：

"你不会是喜欢我吧？但我只当你是朋友……"

"我怎会喜欢你？"

"呃，你说什么？我有什么不好？"

"我的意思是……我已经有女朋友了。"大仁说。

珍美狐疑地问：

"那你为什么一直不说？"

大仁回答：

"我人很低调。"

珍美盯着他看了一会儿，说：

"那你明晚把她带出来给我看看。"

6

"你说的女朋友就是他？"

珍美简直是太意外了。这会儿，坐在她面前的是大仁，跟大仁亲昵地黏在一块的是身穿低领粉紫色套头毛衫，露出胸口，脸上架着一副深紫色镜框眼镜，一条紫红色的丝巾在脖子上打了个蝴蝶结的紫衫人。两个人不时含情脉脉地互相对望。

"唔！我一向是扮演女的。"紫衫人羞人答答地瞧了大仁一眼。

"我是扮演男的。"大仁挺挺胸膛，现出一副男子气的模样。

珍美刚刚来到这家茶餐厅，看到大仁跟紫衫人一块的时候，还好奇地问他们两个：

"呃……你们原来认识的吗？"

她压根儿没法将这两人联想成一对。前一天，当大仁告诉她"我已经有女朋友了！"那一刻，珍美说不上来心里那种怪怪的感觉，好像乍然有几分失望，也好像有几分无端的失落，觉得本来跟她很亲近的大仁一下子离她远了。可她明明只当大仁是朋友，她真正喜欢的是林清扬，她不知道怎么解释这种怪怪的感觉。

后来她想，那全是因为她和大仁认识的日子虽然短，两个人却实在太投契了，感觉就像兄妹那样。没有一个妹妹会喜欢哥哥的女朋友的啊！

然而，要是哥哥的女朋友是个男的呢？

这一刻，珍美觉得心里舒坦多了，本来一下离她远了的大仁，又变得跟她近了。她不知道天下间的妹妹是不是都宁愿哥哥喜欢的是男人，那就可以永远拥有自己的哥哥。

可是，珍美目不转睛地望着大仁，总觉得有点什么地方不对劲。她望了望紫衫人，终于说：

"他一看就知道是基①的。但你怎么看都不像啊！"

正在吃一块牛油吐司的大仁瞥了紫衫人一眼，红着脸说：

"是他改变了我！"

紫衫人连忙点点头附和说：

"唔……我们的关系是那种一生一世的。"

大仁一听，本来咬在口里的牛油吐司几乎吐了出来，他狼狈地连忙用手掩住嘴巴。

珍美怔了怔：

"你没事吧？"

紫衫人边替大仁扫背脊边说：

"跟你说了多少遍？吃东西别那么急，好像明天没得吃似的。"

大仁脸涨红了，拿起面前的一杯白开水骨碌骨碌地

----

① 基，gay，即同性恋。

喝下去，然后深呼吸了一下，开口说：

"从表面上看来，的确非常难懂。"

珍美猛点头，说：

"就是啊！"

"但那重要吗?"紫衫人两条手臂抱在胸前，抢着说：

"对……对……那重要吗?"大仁说。

"大部分的人呀……"紫衫人有点动气地说，"就只会看表面！"

珍美觉得他们两个说得挺有道理的。她才不会像大部分人那么肤浅。她朝大仁咧嘴笑笑说：

"怪不得我常觉得我们就像两姊妹那么要好。"

大仁牵牵嘴角似笑非笑地说：

"那么，你现在可以放心去读书了吧？钱的事就包在我身上。"

珍美有点苦恼地说：

"既然你没喜欢我，那我就更没理由花你的钱呀！"

大仁一时答不上来，紫衫人这时却开口说：

"你有所不知了，这就是基的美善喔！"

珍美听得一头雾水：

"基的美善?"

紫衫人说：

"是这样的，我们一群基的朋友，都有一个心愿，就是要善待身边的人，尤其是你们这些异性恋的。我们要证明虽然我们跟你们不一样，但我们也有一颗美和善良的心，那就可以减少歧视，给基界一个机会，还世界一个奇迹！珍美，基界需要你！你要是再拒绝大仁的帮助，就是歧视我们！"

珍美连忙抓住紫衫人的手说：

"紫衫人，我怎会歧视你们？"

"别再叫我紫衫人！叫我阿祖！"

大仁终于松了一口气，说：

"那你就是答应了啊？"

珍美用手擦了擦眼角的泪水，颤着声音说：

"我太感动了啊！你们对我太好了！我以后找朋友也要找基的！"

"你别哭，看见你哭我也会忍不住哭的呀！"紫衫人掏出一条紫色手帕抹抹眼角说。

大仁笑笑说：

"珍美，你什么都别管，只要专心去读书就好了！"

珍美咬咬牙：

"可是我担心⋯⋯"

大仁说：

"不是说过钱的事不用担心吗？"

"不是钱⋯⋯我已经很久没读过书了，英文又不好，不知道追不追得上⋯⋯"

紫衫人笑笑说：

"哎呀，你忘了我是补习天王吗？有我在⋯⋯"

没等紫衫人把话说完，大仁抢着说下去：

"有什么不明白的尽管问我好了，我替你补习！"

珍美望大仁，觉得好像从来就没有人对她这么好过。她两片嘴唇颤抖着，"呜哇"一声地扑到桌子上，抖着两个瘦小的肩膀，不停啜泣。

大仁慌忙问她：

"你怎么了？"

"都叫你不要哭了！"紫衫人看着此情此景，也忍不住脸埋大仁的肩膀上哭了起来。

大仁紧张地侧下头去问珍美：

"你是不是还有什么担心的？"

珍美这时抬起那张满是泪痕的脸，用手揩了揩鼻子呜咽着说："大仁，我不会忘记你⋯⋯对我这么好。"

第五章

1

大仁坐在一棵大树的树阴下，手里拿着一袋白面包，一小块一小块地撕开来塞进口里，吃得滋滋有味。

那天在茶餐厅里听到珍美跟他说"我不会忘记你……"这句话的时候，虽然知道她说的是以后而不是从前，他还是觉得心都软了。只要她答应去读书，她忘了他又有什么关系？

为了让珍美接受他的帮助，他一时情急，说自己已经有女朋友了。说完他才后悔，他跑哪里去找一个女朋友来啊？

幸好，他突然想起了紫衫人。1998年平安夜，在时代广场举行的那场歌唱比赛的舞台上，他认出唱歌的紫衫人阿祖是他的一个中学的学兄，两个人当年都是学校剧社的中坚分子，合演过《霸王别姬》，他演霸王，紫衫人演虞姬。

一年后，冥王星餐厅的歌唱比赛结束后，他在男厕外面又碰到阿祖，两个人热络地寒暄了一会儿，交换了电话号码，阿祖叮嘱大仁一定要找他，临走时还跟他说：

"你真没心肝！霸王怎可以把虞姬给忘了啊！"

当大仁硬着头皮找阿祖的时候，阿祖一口就答应了，他在电话那一头说：

"我也挺喜欢珍美，这个女孩子好可爱哟！"

于是，那天在餐厅里，大仁跟阿祖继当年的《霸王别姬》之后，在珍美面前再度携手合演了一出戏。大仁起初还担心珍美不相信，没想到她深信不疑。

大仁的心情矛盾极了。他既想珍美相信他是基的，当她相信了，他却又突然觉得一份无以名状的失望。她为什么会相信他是基的？他身上有哪个地方像基的？她那么容易就相信，只有一个原因：因为她想相信。她想相信，只有一个原因：因为她没有也不想爱上他。

然而，她相信总比不相信的好。

离开茶餐厅之后，阿祖开车送大仁回家。在车上，阿祖问他：

"你为什么对珍美那么好？"

大仁回答说：

"我只是想帮她，她很有天分。"

阿祖瞥了他一眼，说：

"那么多有天分的人你都不帮，却宁愿假装自己是基的来帮她，你不是喜欢她又是什么？"

"她已经有喜欢的人了。"他苦涩地笑笑，又说，"没想到这么多年没见，你的演技还是那么厉害，全靠你刚刚说的那番话，才说服了她去读书。"

阿祖有点气结地说：

"你以为我说的基的美善是信口开河的吗？那真的是我的一个心愿喔，我们几个朋友想过成立一个基金的啦！"

大仁抱歉地笑笑说：

"将来等我有钱，我一定会捐钱给你们这个基金。"

阿祖一眼看穿了他的心事，问他说：

"其实你没有很多钱供她读书，对吧？我知道一个小学教师赚多少钱。"

大仁咧嘴笑着说：

"我会想办法的。"

"小丑，该你开工了！"一个穿制服的女工作人员这时走来跟他说。

"呃！知道了！谢谢你。我马上来！"大仁匆匆灌了一口白开水，把嘴里的面包冲下肚子里去，然后站起来，扫了扫身上的面包屑，摸摸头上那个七彩缤纷、蓬蓬松松的鬈毛小丑假发有没有戴歪了。他脸上涂了白色油彩，鼻尖上夹着一个浑圆的红鼻子，画了一个夸张的大嘴巴。他身上穿的是颜色鲜艳、两个袖子挂着一串响铃的小丑服。

他手里拎着一个摇鼓，脚上一双硬硬的小丑鞋"当当当当"地走出去，开始在海洋公园里到处逗小孩子玩，跟他们拍照，在他们面前出其不意地表演一点小魔术。

他很久以前因为好奇而上过小丑学校，没想到如今终于派上用场。除了这份兼职，阿祖又介绍了一位专门办宴会派对的朋友给他认识，于是，他接到很多工作，例如是在小孩子的豪华生日会上表演，那些孩子看到小丑都很高兴。

有时候，他又会扮成宾尼兔、毛毛狗或是大灰熊，出现在某个人的家门外或是办公室里，送上客人要他带来的惊喜礼物，接着手舞足蹈地唱一首生日歌。他唱歌自然是比珍美唱得好。

幸好他教的是上午校，每天用单车把学生送回家之后，他还有一整个下午和晚上可以去兼职。礼拜六和礼拜天就更忙了，阿祖有几个朋友找他上门教柔道。这些人都付得起钱。

要是还能够挤出一点时间的话，大仁希望可以再接一些兼职。除了珍美的学费之外，他要付自己和珍美的那一份房租。每个月，他尽量多存一点钱进珍美的户口里。她念设计要买不少工具，又需要计算机和参考书。女孩子也总得多买几件衣服穿。她想她可以无忧无虑地念书，不用为钱发愁。

"那边有小丑呀！"

他身后响起一把兴奋的叫喊声。他循着声音转过头望去，看到一个一头鬈毛的胖得不行的小女孩，几乎是用滚的滚到他脚边，使劲抓住他一条腿，几乎把他的裤子也扯了下来。他连忙揪住裤头，变出一根棍子糖给她，才把她打发掉。

然后，他继续在公园里四处溜达，逗游人欢笑。他做那么多的兼职就是为了供珍美念书，然而，因为忙着兼职，他跟她见面的次数反而愈来愈少了。

就像刚刚过去的圣诞节，是千禧年的第一个圣诞，也是珍美的二十四岁生日。他多么想陪在她身边，可圣诞节那段日子，每天也有几个派对和舞会，客人出的钱是平时的好几倍。为了多赚点钱，他只好咬咬牙全都接下来。

圣诞节前几天，珍美打到他的手机时，他刚刚从一个小孩子的生日会扮完圣诞小丑回家，正在浴室的镜子前面用雪花膏使劲抹掉脸上厚厚的化妆。珍美问他：

"你圣诞节那天有空吗？"

他只好说：

"圣诞节我很忙啊。"

她问他说：

"我知道了！你是不是在时代广场扮圣诞老人？我来找你好吗？我圣诞节闲得很。而且，时代广场有歌唱比赛啊。嘻嘻，你放心，我没参加。我不会再唱歌了。你不是说过我根本不适宜唱歌吗？"

他抹着脸上的口红说："你别的不记，光记着这些。

我不会在时代广场，我这个圣诞忙得很！"

"你忙什么？"

"我……我就是忙！我跟阿祖有几个派对要去。"

他听到珍美失望的声音在电话那一头低低地说：

"那好吧！迟些见。"

他沾满雪花膏的手挂掉电话，望着镜中一张肥腻腻的脸和因为疲倦而泛红的两只眼睛，看到的却是珍美那张像花开一样的笑脸，一瞬间，思念的滋味，夹杂着旧时的形影，苦苦的，在他心头萦绕不去。

2

"你脸怎么了，瘦好多啊！下巴也尖了呢。"珍美隔着桌子望着大仁那张消瘦了的脸庞说。

"呃？是吗？"大仁摸摸自己两边脸颊说，"我故意的。"

珍美怔了怔：

"故意？"

大仁点点头说：

"我减肥。"

珍美撅撅嘴说：

"你？你才不胖。紫衫人，呃……不……阿祖为什么不来？"

"他？呃……他今天晚上要补习。"

"喔……"珍美吃了一口热腾腾的蒸鸡饭，又啜了一口红豆冰。她望着大仁面前那杯白开水和鸡蛋三明治，禁不住问他：

"你吃这么少，你不饿吗？"

大仁说：

"我？我不饿。我减肥啊！我规定自己晚上只吃一片三明治。我白天吃很多，大鱼大肉的呀！你够不够？要不要再来一个水饺面一个炸酱面？读书少点气力也不行啊。"

"我够了啊。我又不是三天没吃饭。"珍美望着大仁，总觉得他有点什么地方跟以前不同，却又说不上来。

她答应接受他的资助去读书，照理说，他们应该因此变得亲近些才是。然而，大半年过去了，大仁却好像离她远了点，也陌生了些。他常常都说很忙，忙得连见个面的时间都没有。他们上一次见面，已经是上个月的事，也是在这家茶餐厅里。

144

那天，餐厅里人很挤，她也是坐在这张桌子，眼睛一直望着门口。看到大仁进来时，她朝他挥挥手，怕他看不见。

他走过来，望着她的新形象，嘴角冒出一个诙谐的笑容，边坐边说：

"我看到你了！别以为你做了负离子直发我便认不出你来！"

珍美记起那个午餐肉跟即食面跟意大利面的笑话，咯咯笑了起来。她早阵子把一头长曲发弄直了，染回原本的黑色。

大仁瞄了瞄她，说：

"你这回终于像个人了！"

"什么像个人？我以前就不是人吗？"

大仁翻翻眼睛说：

"你那个红萝卜头唯一的好处就是让人老远都可以看到你。"

"哼哼！"

"呃……还有你那个龙珠头很爆笑你自己知不知道？我忍了几年才说出来就是怕你自卑。"

"哼哼！"

"还有你那些歌衫……"

"我那些歌衫怎么了?"

"颜色不是金就是银,不是银就是铜,你参加奥林匹克运动会啊你?"

"哼哼!"珍美扫了大仁一眼,大仁又扫了她一眼,两个人都忍不住笑了出来,愈笑愈厉害,笑得两个肩膀开始抖动。

就是啊!珍美也弄不明白自己以前为什么会喜欢那种打扮。开学头一天,她也是像平时那样,顶着一头红发,身上穿紧身衫和窄短裙,脚上一双高跟鞋,拿着一个银色的包包就上学去。

结果,那天班上每个人都对她投以异样的目光,接下来的几天,没有人愿意跟她说话。

她班上有个正在矫牙,戴着牙套,名叫莎莎的女生,这个可恶的"钢牙"有一回在女厕的洗手槽前面跟另一个女生说:

"瞧她那身打扮,真不知道是谁让她进来的?还说念设计,哼!一点品味也没有!"

那时,珍美刚刚进了女厕最里面的一个小隔间,她真想马上冲出去,脱下脚上的高跟鞋就朝"钢牙"头上砸下去。

然而，转念一想，要是她因此给学校开除学籍，她倒无所谓，可大仁会怎么说啊？他一定会挖苦她的呀。也许他并不是存心挖苦她，而是对她失望，不过，他会把话说得很刻薄就是了。

珍美最后并没有走出来。等她听到"钢牙"和那个女生离开之后，她才禁不住一把眼泪一把鼻涕地哭了起来，举起两个拳头坐到马桶板上跟自己说：

"我不会让你们这些人看扁我！我强！我强！我史上最强！"

这件事，她从来就没跟大仁提起过，也没告诉佳佳。

后来她渐渐发觉，那不是别人的问题，而是她自己。学生就该有个学生的模样。她穿成那个样子，难怪别人不喜欢她。那地方可不是以前的青春不胖纤体中心啊。

现在她上学都很朴素，穿的是汗衫，牛仔裤，半截裙和布鞋。她也不化妆了。

她跟"钢牙"莎莎倒是不打不相识，两个人没多久变成很谈得来的朋友，常常一起留在学校里做功课，又一起去图书馆找数据。

珍美没想过自己那么快就适应了学校的生活，也没想过自己真的可以重拾书本。系内的老师不时称赞她，同学也羡慕她的图画画得漂亮。她现在很喜欢读书，愈读愈有兴趣。她以前为什么会不喜欢读书呢？也许她那时根本不知道自己想要什么。她竟以为她的专长是唱歌，整天做着歌星梦。她浪费了多少时间啊。

大仁说她根本不适宜唱歌，说得虽然刻薄了些，却是最难得听到的真心话，就像一盆冷水迎面泼过来，把她泼醒了。

要不是大仁，她想都没想过再读书。没有他的钱，她也读不成书。尽管他常常挂在嘴边说他不愁钱，从亲戚那儿继承的那笔遗产又会生利息，利息再生利息，可珍美还是能省就省。那毕竟是大仁的钱。

光是他买给她的那台计算机，就很让她过意不去了。

有一天，她在学校里留得很晚，大仁打到她的手机，说：

"突击检查！"

她笑了起来，说：

"突击检查？我很勤力啊。我现在都还在学校里。"

大仁问她：

"这么晚了，为什么还不回家？"

"我要用计算机啊。"

隔天夜晚，家里只有她一个人，大仁竟然像圣诞老人一样，扛来一台漂亮的苹果计算机给她。那台计算机差不多要两万块钱，班上许多同学都还没有。

大仁把计算机放到她房间的书桌上，将计算机和屏幕从纸箱里拿出来开始动手安装。

珍美一边挪开书桌上的东西一边说：

"这台计算机比学校那一台要先进许多呢。我才刚刚学会用计算机，用不到这么好的东西啊。"

大仁爬到桌子底下去，边插上电源绕好那堆电线边说：

"你有没有听过'工欲善其事，必先利其器'？这台计算机特好！做设计的怎能没有？你将来有很多地方用得着它。自己家里有一台，就不用在学校里跟别人分着用，那多寒酸啊！我这人就是……"

大仁沾着灰尘的双手抓住桌子的边边退出来站起身，继续说：

"……爱潇洒啊我!"

珍美一句话也没说,从后面拦腰搂抱着他。

大仁整个人定住了,动也不动,有点难为情地说:

"你……你这是干什么?"

珍美脸抵住他的背,幸福地说:

"我感动啊我!你对我太好了!"

大仁眼角的余光从肩膀瞄了瞄她说:

"那你也不用……不用扑上来啊!"

珍美用手来回扫着他暖洋洋的肚子说:

"怕什么嘛!你是基的啊!"

他收回了目光说:

"呃……对……对……请随便抱……请随便。"

珍美换另一边脸贴上去:

"我会的。你很好抱啊你!"

"这……这我知道,你抱还抱,别流口水啊你!"

"我哪有啊!"珍美扑哧一声笑了出来,抚着他的肚子说,"你肚子好扁啊。"

大仁背对着她,喃喃地说:

"我就是各方面都潇洒啊我。"

这会儿，珍美隔着茶餐厅的桌子望着大仁那个凹了下去的肚子。他刚刚吃完鸡蛋三明治，又要了一杯白开水。

距离上一次见面，珍美觉得大仁比以前变沉默了，仿佛心中藏着什么秘密。不过，珍美习惯了想不通的事情就别去想，搁在一旁好了，反正她很快便会忘记。

于是，她笑笑说：

"你为什么突然嚷着减肥？你身材已经很潇洒了啊！"

大仁灌了一口水，说：

"我想更潇洒啊我。"

珍美把一口鸡饭塞进口里。吃到一半，她突然想起什么似的，说：

"呃！我有好消息要告诉你！老师今天提议我把插画寄去日本参加插画师新秀赛呢。"

大仁眼睛一亮，责备她说：

"你为什么不早点说？"

珍美吐吐舌头：

"我一直跟你说话，忘了啊。呃……你替我决定一下该寄哪些插画去比赛？"

"那还用问？当然是大头珍珍！大头珍珍够疯够可爱啊，除了你，真是脑筋稍微正常点的人都画不出来。"

"哈哈！我也是这么想。"珍美说着从搁在身旁那个长长的画筒里倒出一卷图画来朝大仁摊平在桌子上，问他：

"这些都是大头珍珍，你替我挑一张，我决定不了该用哪一张参赛。"

大仁拿起那沓画纸，仔细地一张张翻看，最后挑出了一张。

"你真的挑这一张？"珍美眼睛笑着说，"我也是最喜欢这一张《大头珍珍漫游娃娃屋》呢。"

大仁看着那些画，突然问：

"这些画你还有没有？"

珍美回答：

"我家里还有很多。"

大仁把画卷起来，只留下比赛用的那一张还给珍美，然后说：

"这些都给我。"

珍美好奇地问：

"你要来干什么？"

大仁故作神秘的说：

"迟些告诉你。"

3

那天晚上回到家里，大仁把珍美的大头珍珍图画全都用相机拍下来，拷贝了几份计算机光盘。

隔天他带着光盘到补习学校去找阿祖，阿祖在两节补习课之间有一点空档，这件事情他们在电话里谈过了。

到了补习学校，那位嘴边有颗销魂痣、穿一袭鲜红色裙子的中年女接待员带他到阿祖的房间，告诉他，阿祖还有十分钟才下课，要他随便在那儿坐一会儿。

大仁才坐了一会儿就觉得有点头昏眼花。他从来没见过某个人的办公室可以从房门到天花板到地毯到墙壁，还有书桌，计算机，文具，电线，椅子和桌灯所有东西都是不同的紫色，他整个人好像被一片紫色浮了起来似的。

十分钟后，阿紫……不……是穿紫色衬衫白色西裤的阿祖终于下课回来了。

看见大仁时，阿祖吃惊地说：

"噢……大仁，你怎么了？为什么脸色发紫的？你不舒服吗？"

大仁苦笑说：

"谁坐在这里看起来都会红得发紫。"

阿祖掩着嘴巴发出一串银铃般的笑声，然后拿起桌子上的一个紫色大口玻璃杯喝了一口水。

大仁把光盘交给他说：

"就麻烦你了！"

阿祖掏出一条紫色手帕抹抹嘴巴说：

"放心吧！我刚好就认识几个总编辑。"

大仁接着说：

"稿费多少不成问题。你看看！珍美真的很有潜质！"

"得了！"阿祖瞧了瞧大仁的脸颊说，"天啊！你不单发紫，你脸都凹下去了。听说你接了很多派对工作，是吗？你这不是太辛苦了吗？"

大仁笑着说：

"怎么会？一点都不辛苦。你有工作再介绍给我。"

阿祖朝大仁摇摇头叹了一口气说：

"唉，情为何物，我是珍美的话，真是会感动得死给你看喔!"

大仁尴尬地笑笑，然后趁自己还没昏倒之前，逃出那个紫色的办公室。

从补习学校出来的时候，天已经黑了。他买了几个面包，边吃边跑上一辆巴士，赶着上门去教柔道。

他知道自己的毛病就是爱装潇洒。他念中学时选了柔道而没像大部分男生那样爱上踢足球，是因为他觉得足球这项运动通常是由一群短脚虎追着一个球跑，很难会潇洒。

他中学那几年故意没有很勤力读书，才可以经常保持班上第十名的位置，因为他觉得考第十名的孩子通常是比考第一名那些死读书的四眼田鸡聪明许多的。考第十名看上去也比较潇洒。

他上小丑学校是因为他觉得小丑都有一种对人欢笑，却把悲伤留给自己的说不出的潇洒。

他的确是害怕寒酸，尤其是对感情寒酸，付出去的感情，渴望一点回报，那不就是寒酸而不潇洒吗?

可他渐渐领略到潇洒的一份无奈。

那天在珍美家里，他替她安装计算机时，她突然从后面拦腰抱着他，摩挲着他的肚子。那一刻，旧时的关爱又浮上心头，他多么想抓住她那双柔软的小手。

她却说：

"怕什么！你是基的嘛！"

他那双差一点就碰到她的手连忙放回去键盘和鼠标上，假装专注地望着计算机屏幕开始装置程序。他甚至还潇洒地告诉珍美，她可以随便抱他。

后来离开了她的家，回去的路上，珍美留在他背上的余温，一直在他心中逡巡不去。

他突然明白，只有离她远一点，才可以继续潇洒。

他不知道自己是忙着兼职没时间见她，还是故意用工作把仅余的一点时间也填满，那就不会在她面前显出对感情的寒酸。只有在很思念她的时候，他才会用"突击检查"做借口打电话给她，听听她的声音。

他曾经多么渴望每天也见到她，他故意用调侃和取笑来接近她，却渐渐发现每见她一次，总是比上次更想抱着她。

于是，他只好悄悄地往后退。

4

珍美激动得一连往后退了几步，要不是大仁及时把她拉住，她险些就撞到一根电灯柱上去了。

她手里捧着最新一期的《WAN WAN》。这本最畅销的时尚月刊在中间大页登了她的大头珍珍，还有她一张小小的照片，简介上说她是新进的插画师。

她一直是《WAN WAN》的超级忠实读者，每一期都买。她甚至梦想过有一天会成为《WAN WAN》的封面女郎，不过是以红歌手的身份，而不是现在这样，由大头珍珍捷足先登。

今天是周末，她要上半天课，还没买书，放学时就接到大仁的电话要她马上去铜锣湾。她匆匆从地铁站出来，大仁已经在车站外面等着，塞给她一本《WAN WAN》，嘴角冒出一个神秘的微笑，跟她说：

"你看看！"

她一头雾水地翻了一页又一页，直到她看到大头珍珍在书里出现。她差点撞到灯柱上去了。

"为什么会这样的？"

她仰头问大仁。

大仁说：

"这些图画是你给我的。"

"我？"她怔了怔，"是吗？这张照片也是我给你的啰？"

大仁笑笑说：

"是佳佳给我的，我要她先别告诉你。"

"她真的好像没跟我说过啊。可是，他们为什么会登我的画？这本可是《WAN WAN》啊。"

大仁告诉她说：

"阿祖认识这本书的总编辑。不过，最后决定登出来可不是靠关系的。他们一看就喜欢大头珍珍，还想你每期都替他们画插图。我看稿费多少不重要，这本月刊读者很多，让多些人认识你，那才重要……"

大仁还没把话说完，珍美就跳到他身上去，双手搂住他脖子，两条腿箍着他，害他身子晃了一下，背上的背包歪了。

"你真是我的吉祥物！谢谢你啊。"

大仁一双手僵在两边大腿，有点结巴地说：

"那……那你也不用一声不响就跳上来。你树熊啊你？"

珍美像爬树似的牢牢地搂住他，免得自己从他身上滑下来。

"我激动啊我！我竟然可以在《WAN WAN》画插图！"

大仁无奈只好像一棵树干般站着不动，任由珍美在他身上攀爬，一张脸不时摩挲他的头发。

"你爬还爬，你别摔下来。"

珍美脸抵住他的肩膀，喃喃说：

"我们是最好的兄弟。"

大仁好一会儿都没说话，然后终于说：

"你很重啊。有什么高兴事，你下来再说。"

"好的！"珍美身手敏捷地跳回地上来，满足地把那本沉甸甸的《WAN WAN》抱在怀里，跟大仁说：

"我们去吃蒸鸡饭庆祝！"

"我还有点事要办，改天吧。"大仁把歪了的背包甩回背上去，有点抱歉地说。

"喔……"珍美失望地撅撅嘴，"那改天吧。"

大仁笑笑说：

"我赶时间，我先走啰。你别把铜锣湾的《WAN

WAN》全都买回去。"

珍美笑了出来：

"你怎么猜到的？我想买好多本留念啊。你赶时间，你先走吧。"

就在大仁转过身过去的时候，珍美看到一个红色的小圆球从他敞开了一半的背包里掉下来。她走上去把那个小圆球拾起来，看了看，那并不是小圆球。

"大仁——"她叫住他说，"你掉了东西。"

"什么事?"大仁回身问她。

看到她的模样时，他好像吓了一跳。

珍美鼻尖上逗趣地夹着一个小丑的红鼻子，朝大仁咧嘴笑着，问他说：

"你背包里为什么会有这种东西?"

大仁连忙伸手把那个鼻子从她脸上扯下来藏在掌心里说：

"你看错了！什么也没有。"

珍美不服气，抓住他那个拳头想掰开他五根手指：

"我明明看到一个小丑鼻子。"

大仁缩回那只手，两只手握着拳头在珍美眼睛前面晃来晃去，晃了好一会儿。

珍美觉得眼睛都花了。当大仁再度在她面前摊开两个手掌时，小丑鼻子不见了，他左手的手心里亮出一个晶晶的樱花红色小弹球。

大仁咧嘴笑笑说：

"你刚刚看到的是这个。"

珍美用两根手指头捡起那个小弹球放在眼睛前方，看到里面许多小气泡缀满了银色的闪亮亮的粉末。

她移开目光狐疑地瞄了大仁一眼。他双手抄在背后，潇洒挺拔的身子站在她面前，好像一位魔术师刚刚演出一幕毫无破绽的魔术，嘴边冒出一个谜样的微笑。

突然之间，珍美被自己心中一个可怕的想法吓倒了。她想：

"可惜他是基的啊。"

5

"这种想法有多傻啊。他本来就是基的。"珍美把大仁送她的那个小弹球抓在手里，不禁笑话自己。

大仁走了之后，她一个人在街头晃荡，一路上又买了几本《WAN WAN》，两本给自己，一本给佳佳，一本改天去老人院看奶奶时带去给奶奶看，一本……

　　她走着走着又来到那家宠物店附近。她站在对街的拐角，想起过去无数心情沮丧和无聊的日子，她都会来这儿看看。唯有这一天，《WAN WAN》登了她的插画。一夜之间，她仿佛有了一个新的身份，她是一位插画师。她心中感到有些得意，就又来了。

　　宠物店外面围拢着一群看狗的人，堵住了她的视线。珍美只好站在对街无聊地玩着手里的小弹球。等到堵在门口的那几个人散去之后，她脸上带着微笑看进店里，发现那个清秀的长发女子的肚子微微隆了起来，跟那个理了个小平头的男人一起，两个人正忙着喂饲笼里的十几头小狗。

　　珍美脸上的微笑消失了，她明明记得上一次来这里的时候，长发女子还没身孕的啊。她的肚子是什么时候大起来的？珍美捏紧手里的小弹球，突然觉得很生气。

　　"哼！讨厌啊！"她一时冒火，抢起手臂，把大仁送她的那个小弹球朝宠物店的橱窗狠狠地丢出去。

　　"哎哟！"小弹球没丢中橱窗，而是在半路砸到某个人的头顶，然后弹回来。珍美连忙伸手抓住那个球。

　　被砸到的那个男人脸带愠怒地转过头来想找凶手。

162

珍美一看到他，简直吓呆了。

"天啊！为什么刚巧会是他！"她心中喊着说。

林清扬看到她了，珍美连忙把那个闯祸的小弹球藏在身后。林清扬这时却大步朝她走来，脸上的愠怒不见了，风度翩翩地拨了拨他那像鸭子尾巴的发梢。他打量了珍美一会儿，脸露微笑地说：

"你……我们是不是在哪里见过？"

珍美害羞地点点头：

"我是胡珍美，我在吴匆匆那儿学唱歌时见过你，你还曾经鼓励我呢。"

珍美的手机偏偏就在这时响起，那铃声正是林清扬那一首《在下一刻爱上我可以吗？》。

珍美慌忙从包包里摸出手机来。她的手机为什么总是不早不迟选在这种时刻响起？她这回真的要把打电话来的人碎尸万段。

她尴尬地把手机贴到耳边，没理会对方是谁，只说了一句："待会儿再说！"就匆匆挂掉电话。

林清扬终于想起来了，微笑说：

"你样子变了很多。"

珍美告诉他说：

163

"我回去念书了。我念设计。我没有再学唱歌了。"

林清扬随口说：

"那可惜。"

"呃？可惜？"珍美心里嘀咕？她觉得今天好像是第二次听到"可惜"这两个字。

"你的手机给我。"他突然说。

"呃？"她怔了怔，不过还是把手机交给他。

林清扬拿着她的手按了几个键，《在下一刻爱上我可以吗？》的铃声又响起来，不过，那铃声却是来自他西裤的口袋里。

他从口袋里掏出手机看了看，然后挂掉，朝珍美露出一个帅气的微笑说：

"那我就有你的手机号码。我现在约了人，改天找你。"他说完，上了一辆出租车。

珍美痴痴地望着车子在她视线里消失。原来他也是用这首歌做铃声呢。

他的手机号码也留在她的手机里，她连忙把它储在电话簿里。

他说改天找她是认真的吗？他现在会不会是赶着去见穿山甲？

164

珍美早阵子在一本杂志上看到林清扬跟穿山甲从一家餐厅出来的照片。穿山甲原来是名媛来的。那本可恶的杂志竟然嘲笑林清扬是"一曲歌王"，说他除了几年前写的这首《在下一刻爱上我可以吗?》之后，一直都没有什么见得人的代表作。

　　她的手机铃声又响起，珍美整个人抖了一下，既惊又喜，没想到林清扬这么快就打来。她抓住手机，温柔地说了一声：

　　"喂——"

　　电话那一头却不是林清扬的声音，而是老人院里的方姑娘。

　　"呃……方姑娘……刚刚那个电话是你打来的吗?对不起，我不知道是你。是不是我奶奶有什么事?"

6

　　珍美依偎在奶奶身边。奶奶坐在老人院大厅的桌子前面，正聚精会神地看《WAN WAN》。

　　奶奶慈爱地抚抚珍美的头，称赞她说：

　　"你从小画画就漂亮!"

珍美幸福地笑了笑。今天发生的事真是太多了。方姑娘在电话里说，奶奶嚷着要见她。那就是说，奶奶今天不痴呆了，她记得自己有个孙女儿。

　　珍美匆匆赶来，奶奶果然认得她，还埋怨她说：

　　"你为什么这么久没来看我？"

　　珍美抗议说：

　　"我每个月都有来，是你不认得我。"

　　奶奶摇摇头说：

　　"我怎会不认得你？我记性好得很！"

　　珍美苦笑了一下，挨着奶奶说：

　　"最近发生了很多事情喔。我回学校念书了啊。没想到吧？我以前最怕念书了。除了佳佳，我又多了一个很好的朋友，全靠他鼓励我去读书，还替我交学费。他的名字叫胡大仁。"

　　正在看书的奶奶停了一下，说：

　　"胡大人？"

　　珍美笑笑说：

　　"不是法官大人的'大人'，是大仁大义的'大仁'。"

　　说完，她指着奶奶手里的《WAN WAN》，憧憬着说：

　　"你知道吗？这本书很多人看的呀。以后我都会在

166

这里画插图，说不定我将来还会画很多很多大头珍珍呢。"

奶奶的目光突然从书里抬起来，喃喃说：

"大仁？大义？"

珍美好笑地说：

"不是大仁大义，是大头珍珍。"

7

灯渐渐暗下来了，山上的空吊车陆陆续续荡回去车站，公园的大门关上。大仁卸下了小丑的衣服，拖着疲乏的身躯下班。

"今天多险啊。"他心里想。

那个小丑鼻子不知怎的从他的背包里掉出来，给珍美捡到了。幸好他临危不乱，把鼻子藏起，变给她一个小弹球。

他的口袋里本来就有这些小道具，扮成小丑时总会派得上用场。

当珍美看到那个小弹球的时候，脸上却露出了谜样的神情。大仁不知道她是不相信没有小丑鼻子这回事，还是心里想着其他事情。

他也未免有点做贼心虚。珍美才不会由一个小丑鼻子联想到些什么。

珍美这人不是笨，而是傻憨憨的。要是人生是一杯咖啡，有些人那一杯是特浓咖啡，有些人那一杯是苦涩的黑咖啡，有些人那一杯是带醉的威士忌咖啡，珍美那一杯却肯定是甜得不得了的牛奶咖啡，也许还浮着一球香草冰淇淋。

所以，她才会一次又一次跳到他身上去，忘了他是个男人。

今天，她突然像树熊一样搂着他，在他身上每一时神经里攀爬。他不知所措地僵着双手，屏住了呼吸，由得她柔软如丝的长发拂到他温热的脸上。

这种感觉曾经多么熟悉，历久而弥新。

于是他知道，他要再一次无声地往后退。

然而，到了隔天，珍美却打到他的手机，问他说：

"你到底什么时候有空嘛？我们不是说好了要去庆功的吗？我请客很难得的啊。你放心好了，不是用你的钱，我迟些会有稿费的嘛。"

他只好打哈哈地说：

"你以为我会放过你吗？我实在忙。"

"学校很忙吗?"珍美问。

他只好胡乱编一堆理由，把大雄、叮当和技安三个说成是问题儿童，他要花很多时间辅导他们。他其实不算说谎，大雄、叮当和技安也真的是问题儿童，只是，他们三个的问题没他说的那么严重。

他对这三个孩子也着实感到内疚。因为忙着做兼职，他忽略了他们。有一天，却突然发现他们好像已经长大了很多。

有一回，送技安回家的路上，技安竟然问他：

"喂老师，你是在哪里减肥的？我也想减肥。"

大仁吃力地踩着单车爬上斜路说：

"你早该减肥，可我没减肥。"

"但你瘦了。你是不是为情消瘦?"

他警告他说：

"你这么八卦，信不信我打——电话跟你妈妈说?"

技安吐吐舌头，不知死活地继续说：

"你女朋友正不正？蠢不蠢?"

"什么正不正，蠢不蠢?"

技安神气地说：

"我哥说找女朋友一定要找又正又蠢的。"

大仁怔了怔，回头笑着问他：

"为什么？"

技安现出一副老成的模样，回答说：

"那就可以吃她软饭！"

大仁这下笑不出来了。他真的要多点关心技安，免得他长大之后成了软饭王。他胖成这个样子，将来要吃的软饭还会少吗？

可是珍美不蠢，她也许知道他在躲避她。她是个全凭感觉生活的人，她难道会感觉不出来吗？幸好，自从大头珍珍在《WAN WAN》首度亮相之后，她的工作就像雪片般飞来，许多杂志和报纸也找她画插画。大仁替她决定哪些工作该接，哪些不值得接。她如今都忙着画画，也许就没时间去想他到底有没有躲避她。

8

珍美现在才知道什么叫忙。她以前总是觉得时间多

170

得用不完。她不是跟佳佳去唱和逛街，便是成天瘫在家里那张沙发上看电视，常常把时间睡掉。如今她却觉得时间仿佛永远不够用。

她接下了许多画插画的工作，有杂志和报纸，还有几本童书。这些都是大仁替她挑选过的，是他认为曝光率最高和对她的前途最有帮助的。

珍美倒是想多接一些工作，她希望能赚多点钱，减轻大仁的负担。可惜，插画师的收入不高，她白天又要上学，无法再多画一些。不管如何，《WAN WAN》的威力比她和大仁估计的都要厉害，她好像是第一个还没从设计学院毕业就当上业余插画师的人。

每天放学后，她回到家里做完功课，便开始画画，常常画到夜深。有时候，她没有灵感，想不到画什么，便会摇一通电话给大仁。

大仁会隔着电话跟她一起天马行空，胡思乱想，教她从生活中找灵感，鼓励她多看外国的绘本。他读过很多童话故事和外国小说，都是珍美没读过的。她也不明白，十岁以前的事为什么她好像全都不记得，因此，人人都听过的童话她好像是头一回听到，夜深人静，这些童话由大仁娓娓道来，却给了她许多想象的空间。只有相信童话的人，才会把童话说得那么引人入胜。

她常常笑着跟大仁说：

"你是我的灵感男神呢。"

他却抗议说：

"什么灵感男神？我是性感男神才真。"

要是没有了大仁，珍美真的不知道该怎么办。

虽然现在大家都忙，见面的次数也少了，但是，只要听到大仁的声音，珍美就觉得很亲切。她常常想念他。

"就像想念一个朋友那样想念他。"她跟自己说。

这天晚上，珍美盘着一条腿坐在书桌前面，前额的头发随便用一只发夹夹住，正在赶一本童书的画稿赶得头昏脑涨。佳佳回来的时候，她甚至不知道。

直到她听到一阵阵断断续续的啜泣声，她站起来走出睡房，看到佳佳的包包丢在沙发上，一只高跟鞋丢在大门后面。她循着哭声走到浴室，看到佳佳脚上只穿一只鞋，坐在马桶板上，哭得眼耳鼻嘴全都扭在一块。

珍美吓了一跳，蹲在马桶旁边问她：

"是不是那个混蛋麦基又欺负你？"

佳佳呜咽着说：

"我说我想搬过去跟他住，他……他竟然说……说他是浪子，有女人在身边他睡不着。"

珍美吃了一惊：

"你不想跟我住吗？"

佳佳泪眼汪汪地看了她一眼，说：

"你都不理我了。以前我们常常一起逛街的啊。现在我下班了你却要工作，我回家你都不知道。而且，你早晚也会丢下我，自己搬出去的呀。"

珍美怔了怔：

"你疯了吗？我为什么会搬走？"

佳佳边拿厕纸擦眼泪边说：

"你现在是插画师啊，你将来会变得很出名的呀，我不过在减肥院打工。"

珍美气恼地说：

"你以为我是什么人？我什么都可以忘记，就是不忘本！我有饭吃，你就有饭吃！我有地方住，你就有地方住！我有钱花，你就有钱花！"

佳佳笑了：

"真的？"

珍美劝她说：

"你别再把青春花在麦基身上了，他没那么好。"

佳佳吸着鼻子说：

"谁叫他是我的初恋情人。"

珍美没好气地说：

"可并不是每个女人也嫁给她的初恋情人的呀。"

佳佳叹了一口气说：

"但我就是离不开他。"

珍美教训她说：

"所以他才吃定你啊。"

佳佳瞥了她一眼，说：

"你别光说我，你自己呢？我至少见过麦基身上每一吋，你呢？对你最好的是个基的。至于那个林清扬，要了你的电话号码，可一直没打来，你也不敢打过去找人。"

珍美想张嘴说些什么，却又打住了。佳佳说得对，她连林清扬的一根脚毛都没见过，也不知道他口里有没有坏牙。

那天，他也许只是出于客气地说改天再找她，并不是认真的，是她自己天真罢了。

"借过一点，"她从地上站起来坐到马桶板上，用屁股把佳佳挤开一点，喃喃说：

"你干吗提醒我？我本来都忘记了这件事啊。"

9

珍美没想到事情会这么巧，前一天佳佳和她才提起过林清扬，隔天晚上，她竟然就接到林清扬的电话。

他打来的时候，已经差不多是夜晚十二点钟，珍美坐在书桌前面，盘起一条腿，正在拼命赶《WAN WAN》的插图。

她一听就认出他的声音了。林清扬温柔而磁性的声音在电话那一头说：

"可以出来陪我聊聊天吗？你住哪里？我现在过来接你。"

珍美紧张得拼命咬手指，险些连自己住在哪里都忘记了。

十分钟之后，她人已经走到楼下，钻上林清扬那辆橘子色的跑车。她一上车，林清扬不出声，使劲踩下油门，车子往前冲，一路上在黑夜里高速飞驰，珍美吓得一手抓住旁边的扶手，一手抓住座椅的边边。车子音响放的全是他写的歌，他沿途一句话也没说。珍美不知道怎么办，偷偷瞄了他几回，发觉他脸上的神情有点忧郁。她一向不习惯跟人一起不说话，可是，看到他那模样，她却不敢说话，只是静静地坐着。

车子终于又驶回来她住的公寓外面停下。林清扬脸朝她转过来，终于开口说：

"我有没有闷着你了？"

珍美使劲摇着头说：

"呃……没有啊。"

林清扬双手放在方向盘上，叹了一口气说：

"今天晚上在录音室录歌时很不顺，所以想出来吹吹风，谢谢你陪我。"

珍美羞怯地说：

"呃……没关系。"

林清扬又说：

"你不会介意吧？在我的车上，我只播我写的歌。"

珍美连忙说：

"我喜欢听啊。"

林清扬微微一笑说：

"我前天在杂志上看到你的插画，原来你是插画师来的?"

珍美带点自豪地点了点头,兴奋地问他:

"呃……你有看过?"

林清扬深情的眼睛定定地望住她,说:

"谢谢你。我现在觉得好多了。可以再进去录音室。改天见。"

"呃……改天见。"

珍美打开车门走下来,站在车子的边边跟林清扬道了再见。

车子绝尘而去,她两个膝盖仍然因为刚刚的那趟飞车旅程而微微发着抖。她从没想过跟他的第一次约会会是这样的,而不是像一般人那样吃饭喝茶或是看电影。

她心里笑着想:

"太浪漫了!"

这晚的约会过了很久之后,林清扬才又再找她,也是在夜晚。这一回,珍美学乖了,她穿了一身"飞车装",黑色高领长袖贴身衫和黑色吊脚裤,头发扎成一条马尾,拎着一个黑色包包。

可是,林清扬并没有邀请她上车。

她蹦蹦跳跳地走到楼下时,看到他下了车,身上穿一袭时髦的深蓝色西装，没结领带，白色衬衫上的两颗纽松开了，双手交臂，背靠车门上。那模样帅呆了。

林清扬看到她时，投给她柔情万缕的一瞥，微笑说：

"突然想起你，想看看你过得好不好。"

珍美一听，只觉得有点呼吸不过来，不知道说些什么才好。

然后，林清扬站直身子，回到车上。

他留下这句话就走了。

等到那辆橘子色的跑车消失在黑夜里，珍美才回过神来，站在街上，甜丝丝地想：

"这么晚了，他就是专程过来跟我说一句话吗？"

10

大仁只是专程跑来替别人说一句话，从没想过，就一句话，竟把夜晚变得那么糟糕。

十点半钟的时候，他接到派对服务公司负责人的电话，问他要不要接一个临时的工作，替一位激怒了女友的客人送一束花去说声道歉。这位客人愿意多付一倍钱。

"接！当然接！"大仁说。

他搁下电话，匆匆从家里赶回去公司换衣服，扮成一只加菲猫的模样，拿了玫瑰花，一看地址，才知道那人的女友竟然跟珍美住在同一幢公寓里。

现在已经不可能找另一位同事顶替了。大仁看看镜子，他身上穿的是加菲猫的衣服，后面还拖着一条长尾巴，待会儿再戴上头套，真是连他娘都认不出他，谁又会认出他来？

于是，他踏着大步出发，一点都不担心。要是遇到珍美，说不定还可以戏弄她呢。

他拿着一大束玫瑰花摇摇摆摆地抵达公寓，上了楼，来到一扇黄色门前面，捋捋脸上的猫须，然后用猫爪使劲地按一下门铃。

过了一会儿儿，一个身穿大波点粉红色睡衣，趿着一双粉红色毛拖鞋，戴着粉红色头箍的年轻女子来开门。

大仁一见到她，就说：

"米妮小姐吗？米奇先生想跟你说对不起，他说他很爱你！"

大仁说完，递上那束玫瑰花。

那个惊讶的年轻女子接过大仁手上的花，看了他一眼，幽幽地说：

"你等一下！"

大仁点点头，一手撑在门框上，一手叉腰，交加双脚站着，学加菲猫那样摆出一副慵懒的姿势。

女子回来时，手里捧着一盆冷水，二话不说就泼到大仁头上，恼火地骂：

"你告诉他！我永远不会原谅他！"

接着，那扇门砰的一声在大仁鼻子前面关上。

大仁满以为替别人做了一桩好事，没想过会遇到一个疯婆子。这种女人还有人爱，而且舍得花多一倍钱请他来道歉，才真的是情为何物。

他边走下楼梯边用手擦掉头上的水，心里大叹倒霉。突然之间，他看到珍美哼着歌，穿着一身黑色衣服，束起头发，活像女黑侠似的从家里走出来。

大仁连忙往回跑，躲在楼梯的转角偷看，只看到珍美蹦蹦跳跳地走下楼梯，好像很高兴的样子。

这么晚了，她要去哪里？

"戏弄一下她也好！"他心里愉快地想。

于是，他悄悄跟着珍美下楼梯，可他那身衣服累赘，被水湿了又更重了一些，等他终于跟到楼下，却看到那辆丑得不行的橘子色跑车停在外面。

珍美要见的原来是那个人。

大仁慌忙躲到楼梯底下，想看看他们做什么。

那个林清扬好像说了些什么，然后就走了。大仁竖起耳朵也听不见，但珍美看来却一副神魂颠倒的模样。

那个人是在追求她吗？

珍美为什么从没跟他提起过呢？然而，大仁转念一想，她为什么要告诉他呢？他自己整天都说忙，珍美想说也没机会说啊。

那辆车子开走了，大仁想转身闪人的时候，尾巴却突然从后面被人扯住。

"呃？嘉菲猫！"

他认得那个声音，没办法了，只好慢吞吞地转过身去。珍美就站在他面前，好奇的黑眼睛打量他，手上还抓住他的尾巴。

大仁慢条斯理地把那条尾巴从她手上拿回来，然后竖起两只大手掌，扭了几下屁股，那滑稽的模样逗得珍美咯咯大笑。

趁着她笑的时候，他掉过头去，扭着大屁股，蹒跚地从她身边走开。

"再见啦！加菲猫！"

珍美快乐的声音在他身后说。

大仁没回头，抬起一只大手朝她挥了挥。

直到他走了很长很长的一段路，拐过幽暗的街角，他才脱下那个湿淋淋的头套拎在手上，心里郁郁地想，他扮成这个猫样，珍美刚刚绝不可能认得他吧？只有他，隔着头套上的孔眼看到了她。他们的相遇仿佛都在重演这一幕，他一直在等待，而她却永远都不可能认得他。

第六章

1

“我都不认得你了！你今天好漂亮！”大仁对她说。

珍美羞怯地笑了。

就在今天，她身上穿着一袭自己设计的象牙白色曳地的婚纱，一把乌溜溜的黑发垂肩，披着长而飘逸的面纱，头上戴着一顶亮晶晶的冠冕，看上去就像一位高贵的公主。

她戴着白色手套的一只手幸福地穿过大仁的臂弯。他挽着她，踏在教堂的红地毯上。

红地毯的两旁坐满了他们的朋友。这座圆顶教堂挑高的天花上饰着吹号角的天使，圣坛前面摆满了白色的玫瑰花，阳光穿过墙上的彩绘玻璃漫淹进来。

她要嫁给他了。

她想都没想过跟他会有这一天。那年圣诞，他们相遇，原来，他也就是她今生最美丽的际遇。

他们终于在无数祝福的目光下走到红地毯的那一端。然后，大仁把她交给早已经在这儿等着的她的新郎。

她隔着象牙白色面纱望着林清扬，他今天穿着一身黑色的礼服，这会儿正含笑看着她。《在下一刻爱上我可以吗?》的音乐在教堂里回荡着。

几只小麻雀追逐着歌声翩翩飞了进来，在教堂的圆顶上徘徊。珍美抬起头，手指比在两片厚嘴唇上，要小麻雀乖乖安静下来。

这时，神父问新郎：

"林清扬，你愿意娶胡珍美小姐为妻吗?"

林清扬回答说：

"我愿意。"

"胡珍美小姐，你愿意嫁林清扬先生为妻吗?"神父问她。

"我……"珍美正要回答，她身后突然响起一个声音说：

"慢着!"

她惊讶地回过头去，看到本来坐在第一排的大仁站了起来看着她。

她不解地望着他。

大仁走上去，用手替她拨好肩膀上的长发，说：

"你头发乱了。"

她眼睛微笑着冲他说：

"谢谢你。"

他接着又凑到她身边说：

"《WAN WAN》的画稿明天还是照样要交啊。"

她隔着面纱撅撅嘴：

"行了！人家今天要结婚喔。"

大仁只好往后退。

神父再一次问她：

"胡珍美小姐，你愿意吗？"

"我……"珍美正想回答时，踢到了一条毛毯。她缓缓睁开眼睛，看到睡房的天花板，才知道是做梦。

这个梦也未免太短了些啊。

她在床上坐直身子，发现窗外的天色暗了，原来她睡了一个长长的午觉。

她做这个梦也真傻。林清扬自从那个夜晚专程开车来跟她说想看看她过得好不好之后，很久没找她了。

"艺术家就是这样的啊。"她心里想。

珍美也没时间想太多就是了。这段日子以来，她都忙着画插图，《WAN WAN》要做一个圣诞特辑，主编想她画几张跟圣诞有关的插图，她还没开始画，而且连一点头绪都没有。

没想到时间过得那么快，还有一个月就是圣诞了。珍美走下床，坐到书桌前面，盘起一条腿，打开计算机。

"你睡醒了啰?"佳佳从厨房里探头出来说。

珍美想起她上床睡觉时佳佳已经在厨房里开始忙碌。

"你弄好了没有?"珍美双手支着头，望着计算机屏幕，问她说。

佳佳从厨房里喊出来:

"快了! 你打算怎样跟他说?"

2

"什么? 计算机当机了?"大仁握着手机说。

今天是星期天，他刚刚上门教完柔道。这一刻，他人在巴士站，正赶着去山顶一个小孩子的生日会上扮小丑。

"呃……不知道为什么，刚刚还好端端的。我明天要交功课，全都在计算机里，你快点过来帮我看看吧!"珍美在电话那一头焦急地说。

大仁叮嘱她：

"你别乱动，我晚一点过来好吗?"

"你什么时候过来?"

大仁看看手表，说：

"约摸两个钟头，你等我!"

"呃……要这么久吗？好吧，我等你。你一定要来啊!"

"总之你等我，什么都别动!"

大仁伸长脖子心焦地看着车来的方向，终于等到一辆巴士驶来，他匆匆钻上车，找个位子坐了下来。

自从上一次在公寓外面见过珍美之后，他一直都没见过她。那个晚上，他不过是加菲猫，她也以为他是。

第二天，她打电话来跟他说：

"哈哈，你不会相信的! 我昨天在楼下见到一个扮成加菲猫样的人，好可爱，看不出是男还是女，不知道是不是在附近参加化装舞会。"

珍美并没有跟他提起林清扬，大仁也不确定自己想不想听。听了他也许会心酸。不过，只要珍美快乐就好了。他酸一点有什么关系？

他往后退，只是想假装潇洒，或许也想遗忘。可他不像珍美，说忘就忘。爱也不是一个玻璃瓶，可以随便找一个塞子，说封就封。

她打来的电话，他一定接，因为他想念她的声音。她什么时候需要他，他也会义不容辞，因为他的爱是不需要任何回报的。

有一次，珍美在电话里问他：

"为什么最近总是我打电话给你，你都不打电话给我？"

他多么想说：

"只有离你远一点，我才可以继续潇洒。"

当然，他并没有这样说，而是说：

"嘿嘿……一向都是女孩子主动找我的。"

她在电话那一头笑了起来，说：

"她们不知道你是基的吗？"

他这才想起他应该是基的。

于是，他说：

"呃……所以我很少打电话给女孩子的。"

无数寂寞的长夜，他多么想念她的声音，多么想给自己找个借口去见她，忘记会不会心酸这回事。

待会儿他便要去见她了。他突然有点高兴她的计算机今天晚上当机了。

两个钟头之后，他匆匆卸去脸上的小丑妆，从派对上走出来，把假发和小丑服全都塞到背包里，赶去珍美的公寓。

他跑上楼梯，到了她家门口，按一下门铃。门一开，他怔了一下，怎么会有两个小丑在屋里啊？

"你来了啰？"

"你终于来了啰？"

珍美和佳佳一人一句地冲他说。

他望着她们两个，两个人都戴着七彩鬈毛又大又蓬松的小丑假发，珍美鼻尖上夹着一个红鼻子，佳佳把眼肚涂白了。

"快过来！"珍美一手把他拉进屋里去。

大仁看到小小的餐桌上摆满了食物和几瓶开了的酒，昏暗的客厅周围点燃着七彩的小蜡烛。珍美捧着一个插着烟花蜡烛的黑森林蛋糕，同佳佳一起对他唱生日歌。

　　烟花蜡烛发出哔剥哔剥的响声。大仁惊讶地问珍美：

　　"今天是我生日吗？"

　　珍美瞧了瞧他。"唔……看样子好像不是今天。但你总会生日的啊！"

　　大仁听得一头雾水。

　　"我们好想开生日会，珍美的生日还没到，我的生日已经过了，所以，只剩下你啰！"佳佳傻傻地说，她看上去好像已经醉了。

　　珍美推了推佳佳的头说：

　　"她等你已经等到忍不住先喝了几杯，你别听她！你从来没说什么时候生日啊。所以我预先跟你庆祝。快吹蜡烛嘛！"

　　大仁又好笑又无奈，深呼吸一口气，认真地把蜡烛吹熄。

　　珍美把他拉到餐桌那边说：

"快来吃点东西吧！这些菜是佳佳和我两个做的。"

大仁看向珍美的睡房，问她说：

"你计算机不是当机吗？"

珍美说：

"骗你的！你成天都说忙，不是这样怎么把你骗来？"

大仁心里禁不住一阵内疚。

"你脸上的是什么？"珍美突然问。

"呃？"他怔了怔。

珍美伸手揩了揩他的额角，手指头沾到了白色的油彩。她给他看看，问他说：

"这是什么？好像是化妆品呢。"

他一看就知道糟糕了，一定是他卸妆时太匆忙没有抹干净。幸好他看到佳佳的白色眼肚，灵机一触说：

"呃……也许是刚刚从佳佳脸上揩到的。"

他说着连忙用衣袖擦掉额角上的油彩。

夜深了，佳佳把自己灌醉之后就溜上床睡觉，她的假发不知什么时候戴到大仁头上去。客厅里亮着几朵烛光，照亮了大仁和珍美紧挨着彼此坐着的那张红沙发。

他们两个人都把腿搁到前面的方形茶几上，各自吃着一排 Kit Kat。

珍美问大仁：

"你到底是什么时候生日的?"

大仁回答：

"算了吧，说了你也会忘记。"

"那你到时候提早一天告诉我好了。呃……你也喜欢吃这个巧克力吗?"

"唔……"

"不知道为什么，我就喜欢吃它，别的都没那么喜欢。"

"我知道。"

"呃? 你知道?"

"因为好吃啊。"大仁幽幽地说。

"唔……呃……你有什么家人? 从来没听你提起过呢。"

大仁挪了挪头上的假发说：

"一个爸爸，跑了，一个妈妈，改嫁了，一个弟弟，很痴心，跟着西班牙女友跑到撒哈拉沙漠去了。"

珍美笑笑说：

"你跟我很像啊。我一个爸爸，好像跑了，一个妈妈，应该是改嫁了，一个奶奶，肯定是痴呆了，不过，她几个月前清醒过一次。呃……你记不记得你小时候的事？"

"都记得。"

珍美拨了拨遮着眼睛的一绺假发，羡慕地说：

"我好像都不记得了。等我老了，可能也会像我奶奶那样，老人痴呆，家族遗传啊。到时候，你有时间记得来老人院看我喔。"

"好的。"

"要是我不认得你呢？"她戴着小丑假发的头突然依偎到他的肩膀上。

他心里翻腾着，深情地说：

"我认得你不就够了吗？"

"那倒是。"

她又问他：

"《WAN WAN》的圣诞特辑，我还没灵感啊，画什么好呢？你替我想想……"

他想了一会儿，笑笑说：

"我不是跟你讲过安徒生的《卖火柴的女孩》吗？"

"对啊。"

"小女孩冻死之前在墙上划了最后三根火柴。划第一根火柴时，她看到一只很好吃的滴着肥油的烤鹅。划第三根火柴，她看到了生前最疼她的老奶奶和一颗坠落的星星。那么，划第二根火柴她看到了什么？"

珍美揉着一双困倦的眼睛想了好一会儿，终于弃权了。

"我忘了啊。你再说一遍。"

"你再想想啊，你总要记得一些事情，不要老是忘记。"他意味深长地说。

"好吧，我再想想喔。"

两个人都没有再说话。他一直等着，却等不到一个声音。他转脸去看她时，发现她已经睡着了。

3

珍美坐在设计学院外面宽阔的台阶上，两手支着头，一直等着。

大仁为什么还没来？

她在电话里告诉他学校要见家长时，他简直不相信。

"呃？你这么大个人还要见家长？"他在电话那一头说。

她怯怯地说：

"我今天在学校里跟同学打架。"

"你又用高跟鞋砸人？"

"我很久没穿高跟鞋了……我……我用平底鞋。"

他叹了口气，问："你砸了谁？"

"不就是钢牙莎莎啰。"

"你跟她不是好朋友吗？"

"说来话长，你来了再说吧。我姓胡，你也姓胡，待会儿你就说你是我哥哥，说爸爸妈妈都死了，我们两个自小相依为命，说不定会有一点同情分。"

星星都出了来，珍美从台阶上站起来，焦急地磨蹭着脚，又坐下去。大仁到底什么时候才来啊？那天，她为他庆祝生日……不……那天不是他生日，是她把他骗到家里来，想见见他。她很久没见他了，就像想念一个朋友那样想念着他，她说不清那是习惯还是期待。看到他来，看到他看见她和佳佳扮成小丑样时那个惊愕的神情，她到现在还记得。

原来，不见面的日子，大仁从来没有离她远了。她以为她想念林清扬，可是，当她依偎着大仁的时候，她突然觉得自己想念的好像是他，那份熟悉的感觉难以言喻。他就像她喜欢吃的那种巧克力，喜欢是不需要任何的理由的。

可惜，她太累了，等她醒过来的时候，大仁已经走了。她发现自己睡在沙发上，身上盖着一条毛毯，本来戴在头上的小丑假发和鼻尖上的红鼻子放到一边。

她仿佛记得是在他的肩膀上睡着的。他最后跟她说：

"你总要试着记得一些事情，不要老是忘记。"

这句话，她就像记得他肩膀的余温那样，记得很牢。

这时她抬起头，刚好看到一个人影由远而近。朝她跑来。她连忙从台阶上拔起身等着。

大仁终于来了。她就知道他会来。

当他跑到她面前，她看到他头发乱了，身上的衬衫从裤头里走了出来，外套也歪了，他那副急匆匆赶来的样子，不禁让她满怀内疚。

她又一次把他骗来了。

大仁喘着大气，叮嘱她：

"你系主任在哪里？待会儿你站在一边什么也别说，等我来说。走吧！"

她站着没动，瞄了瞄他，惭愧地笑笑，说：

"我这么大个人了，怎么还会要见家长？只有你才相信！"

大仁怔了怔：

"那你为什么叫我来？"

她亮出藏在身后的一个信封，在大仁面前晃了晃，说：

"是要给你看这个啊！你记得我参加那个日本插画师新秀大赛吗？今天刚刚收到通知，我得了第二名！"

"真的？"大仁连忙拆开信封，就着台阶上的路灯看信。

"这么久了，我还以为输了呢。"她在他身边蹦蹦跳跳，很神气地说。

大仁从那封信上抬起脸来，兴奋地说：

"我就知道你行！"

珍美瞧了他一眼，说：

"我骗你来，你不生气吗？"

大仁不认输，挑了挑两道眉毛说：

"我？我哪有这么笨！我一向聪明啊我！我只不过以为又有生日蛋糕吃！所以来看看。"

珍美扑哧一声笑了，突然搂抱住大仁说：

"我太高兴了啊我！我从没考过第二名啊。"

"我从来没怀疑过你的天分。"大仁搂着她。

珍美脸抵住大仁的胸膛说：

"全靠你挑了那张《大头珍珍漫游娃娃屋》。"

大仁微笑说：

"我一向有眼光。那张你画得最好。"

珍美两条手臂搂住大仁温暖的背脊，撅撅嘴：

"其他就不好吗？"

大仁搂住贴在他胸膛上的珍美说：

"都画得好。"

珍美靠在大仁舒服的胸怀里喃喃说：

"去庆功啰？"

大仁轻声说：

"唔……去庆功吧！"

珍美仰起脸看大仁时，发现大仁也在看她。她感觉到他急促的呼吸声，仿佛也听到自己的心跳加促。突然之间，大仁温热的吻落到她两片嘴唇上，珍美惊得往后退了一步。从大仁怀中脱出来，看到他一张脸发红，尴尬地僵在那儿。

两个人都没说话。长长的沉默之后，珍美颤着声音，开口说：

"我……我要回去上课了！"

说完，她头也不回地奔上台阶去。

珍美躲在楼上黝暗的课室的窗边，课室里空空的，学校早已经下课，她根本不用上堂。她往下看，看到大仁孤零零的身影在昏黄的路灯下渐渐走远了，终于没入暗夜之中。

珍美摸着自己两片滚烫的嘴唇，她刚刚好像也回吻了大仁。

她觉得心里好乱，为什么会变成这样？她和他不是都已经有了喜欢的男人吗？

4

"我那天只是把你当成一个男人来吻！不……不

行……这种话杀了我也说不出口。"大仁懊恼地想。

那天他到底做了什么啊？珍美又不是第一次这样搂着他，以前每一次，他都能够好好控制着自己，可是，唯有这一次，他一时情不自禁吻了她，结果竟把她吓跑了。

过了那么多天，珍美没找他，他也总是拖延着不敢找她。愈是拖延，他也就愈是鼓不起勇气去找她。他该跟她道歉说不小心吻了她吗？可他哪里是不小心？

也许他可以打电话给她，譬如跟她说他刚刚想过的那种话，可那种话根本不是人说的。他从来就没把珍美当成男人。他这么说的话，他真的不是个男人。

他可不可以打电话过去给她，当作什么事也没发生？然而，已经发生的事，可以当作没发生吗？这一次，珍美是不会忘记的。

大仁突然明白，回不去了。

"圣诞老人！我想要礼物！"一个圆脸的小女孩拉了拉他松垮垮的裤子说。

大仁回过神来，慈祥地笑笑，从肩上的大布袋里掏出一件礼物送给她。

小女孩拿着礼物快乐地走开了。

2002 年平安夜的这一天，派对服务公司派他来到山顶一户人家，扮成圣诞老人，在热闹的派对上给大家一点欢乐。

但这个圣诞老人心里却笑不出来。

派对结束之后，大仁换回衣服，离开了背后那幢大屋，一个人落寞地走下寂静的山路。突然之间，思念像河水决堤一样。

他是男人，该他打过去才是。

他在冷风呼啸的路边停住了脚步，掏出手机，满怀希望地按下珍美的电话号码。

电话接通的一刻，大仁骤然听到《在下一刻爱上我可以吗?》的音乐铃声在那一头响起。他怎么会忘记了？珍美好喜欢这首歌……

他突然明白她喜欢的是另一个人。没等珍美接电话，他悄悄挂断了，由得决堤的思念把他原本想说的那句话淹没了。

他想跟她说一声："圣诞快乐！"

5

"喂！圣诞老人在那边！"佳佳拉了拉她的手臂说。

珍美连忙往下看，果然看到圣诞老人胖胖的背影。她连忙走下电扶梯。

平安夜的这天，她和佳佳两个人在铜锣湾逛街，商店都大减价，佳佳买了许多东西，她什么也没买，然后拉着佳佳来到时代广场。

刚到时代广场时，她在大堂没看见圣诞老人，她心里想，也许时候还早吧，圣诞老人还没出来。也许是她们来晚了，圣诞老人已经下班了。又或者两样都错，今年这里没有圣诞老人，就好像今年这里再没有举办歌唱比赛一样。

她从电扶梯走下来，跑向那个被几个小孩子围拢着的圣诞老人，满怀希望地站在他背后。等他转过身来的时候，她却失望了。

她曾经以为所有圣诞老人都差不多，可这一个，她一看就知道不是大仁。大仁的模样比这一个可爱多了，眼睛比这一个亮多了。大仁身上的衣服干干净净的，她眼前这个圣诞老人却有点脏。

她只是来碰碰运气，说不定大仁今年会回来这儿，扮成圣诞老人。不过，她根本没有什么把握。

大仁没来，她也不知道他今天晚上会在哪里。

珍美想过假装忘记了这件事，就像以前一样，打电话跟大仁聊天，提都不提。她记性一向不好，忘记又有什么出奇？然而，明明记得的事，装着忘记反倒不容易。她就是不会说谎。

珍美也想过不如若无其事地打过去，在电话里跟他说：

"我是把你当成一个女人来吻！"

但这种话她说不出口。她怎会吻一个女人？

都是她不好，干吗男女不分的，一高兴一感动就扑到他身上去啊？

可这也不能怪她，她以前扑上去都没事，摸他肚子也没事，把他当成树干用双手和双脚箍着他也没事。

唯独那天晚上，她搂着大仁的时候，突然舍不得放手。这种感觉以前从来没有过。她以前总是懂得放手。

她为什么不早点放手啊？早一点放手便不会有事。

她不知道怎么办。自从认识了大仁之后，当她不知道怎么办的时候，只要问他就好了。大仁会告诉她该怎么办。可是，这一次，她却不能问他，只能够自己想想怎么办。

"走吧！我想去买胸罩。"佳佳拎着大包小包，钩住她的手臂说。

她钩住佳佳的手臂，心不在焉地陪她到楼上的商店去。

等佳佳拿着胸罩去排队付钱时，珍美从拥挤的商店走出来，靠在栏杆上，两条手臂没精打采地悬在栏杆外面，望着楼下大堂那个陌生的圣诞老人。

珍美有点想念她熟悉的那一个。

突然之间，珍美的手机铃声响起。她精神一振，会是大仁打来的吗？她连忙转过身来，伸手到包包里找手机。结果，她手忙脚乱地找了好一会儿，没等她找到，电话那一头已经挂掉。

珍美很气自己笨手笨脚的，幸好，当她终于摸到手机时，铃声又响起。

"不用听了！是我找你！"佳佳从商店里买完东西出来，手里握着手机，一看到她就猛朝她挥手，要她别接。

"原来你在这里。"佳佳挂断手机说。

原来是佳佳。珍美看也没看，又把手机丢回去包包里。

有那么一刻，珍美还希望会是大仁打来的。

6

到了一月初的一个夜晚，天气突然转冷。珍美在床底下找出厚棉被和冬天穿的厚毛衫时，才发现好些衣服她已经一两年没穿了。

这些旧衣服买的时候不便宜，去年她还舍不得扔掉，现在却愈看愈不顺眼。她以前多没品味啊，不是金便是银，难怪大仁取笑她，说她好像去参加奥林匹克运动会。

一想起大仁，珍美不免有些感伤。

两个人到底还要互相躲避到什么时候才可以像以前一样耍嘴皮啊？

她咬咬牙，把不要的衣服一件一件翻出来丢到一边去。这么忙的时候，她才不会胡思乱想，才会暂时忘记大仁。

一转眼，房间的地上全都散满了旧衣服。在这屋子里住了好几年，她一直没有好好收拾过。这会儿，她索性把衣柜和每个抽屉都打开来，能丢的就丢。譬如说，她以前爱穿的那些高跟鞋，就一双也都不留。

　　珍美终于把衣柜清了，叉着腰喘口气的时候，她无意中发现衣柜顶搁着一个老旧的大皮箱。这个皮箱好像是奶奶住进老人院前留下来的，她都忘记了。

　　珍美搬来一把椅子站上去，把那个大皮箱挪到地上，那沉甸甸的箱子落地时扬起了一阵灰尘。珍美蹲坐到地上，掀开没上锁的箱子，看看里面藏着些什么。她不记得她有没有看过里面的东西。

　　皮箱里放着奶奶的一些旧衣服和几双旧鞋子，就连已经没有人用的藤织枕头也有一个。她找到一些旧玩具，有洋娃娃和毛毛熊，这都是奶奶以前的玩具吗？应该不是，说不定是她的。她想不起自己玩过这些玩具。

　　她翻着翻着，找到一本发黄的图画簿，封面上斑斑驳驳地沾了七彩的颜料，她好奇地打开来，一页一页地看下去，图画簿里全是一幅幅很稚气的图画。

　　"这一定是我画的。"她心里想。

　　珍美不记得她画过这些图画。别人是在旧东西里找

208

到回忆，她看旧东西却像头一回看到似的。

"以一个小女孩来说，我画得不错嘛。"她喃喃说。

珍美翻到一半时，图画簿里突然掉出来几张照片。她捡起来一张张地看。那些照片都有一点泛黄了。有她和奶奶一起拍的，有几张是她跟一个男人和一个女人一起拍的，照片中的她，看来只有四五岁。那个男的，应该就是爸爸吧。他长得挺帅啊。女的是妈妈，她好漂亮。

然后，她发现其中一张是她跟一个小男孩站在喷水池旁边拍的。那时候她看上去好像只有七八岁，男孩也跟她差不多，比她高出半个头。两个人很亲昵地手牵着手，咧着嘴笑得很高兴。

这小男孩怎么这么面熟啊？珍美觉得她好像在哪里见过他。他长得很像一个人。

珍美翻到照片后面看看。照片后面已经有点褪色的字体写着这两行字：

胡大仁和胡珍美
1994 年摄于皇后像广场。

珍美惊住了。怪不得她觉得这个小男孩很面熟。他长得像大仁啊。他就是大仁。他一点都没变，尤其是笑起来有几分诙谐的那个模样。

他即使化成飞灰，她也认得他。

可珍美是几年前才认识大仁的。她不记得以前见过他。大仁也从来没提起过。她记性不好，但大仁记性好得很。要是他们以前认识，他为什么不说。

这明明是大仁，不会有另一个人刚好同名同姓，还长得一模一样。

珍美怔怔地望着照片。大仁到底是谁？为什么他小时候会跟她一起？她却一点都不记得他。

为什么他几年前突然又出现在她生命里？难道是别有内情的吗？

珍美想起有一个人或许会知道。

7

宠物店旁边的咖啡室里，珍美跟那个清秀的长发女子对坐着。

女子的肚子已经很大了，似乎随时都要生孩子。她望着珍美，好一会儿都没说话，然后终于说：

"你长大很多了。"

珍美抿抿嘴唇说：

"你认得我？"

女子点点头：

"你来店里找我时，我就知道是你，你跟我就像一个模子倒出来似的。"

珍美望着眼前这个人。奶奶说，她妈妈生她的时候才只有十七岁。她的确长得像妈妈，她的妈妈也该四十出头了吧，但妈妈看起来很年轻。

长发女子有点尴尬地问珍美：

"你怎么知道我是你……"

"是奶奶告诉我的。我小时候，奶奶带我来过几次，说你是我……"珍美把"妈妈"两个字吞了下去，"奶奶又要我别找你，她说，你也是有苦衷的。"

"奶奶她好吗？"

"她住在老人院里。"珍美回答，"她几年前患了老人痴呆，以前的事都不记得了。"

"喔……"妈妈有点唏嘘地应了一声，"那你呢？"

珍美微笑说：

"我在念设计。"

"那很好哦。"

珍美无言地望着妈妈。这几年，她都只是在对街偷看她，从没想过会跟她相认。坐在她面前的妈妈，既陌生也遥远，珍美不懂形容这种感觉。奶奶告诉她，爸爸和妈妈在她五岁那年分开了，她是奶奶带大的。奶奶要她别恨妈妈，说一个女人带着一个孩子过生活不容易。

珍美没恨妈妈。十岁以前的事，她根本不记得。不记得，也就无所谓怨恨。

"你可以帮我一个忙吗？"珍美说着从包包里掏出她和大仁的那张旧照片放在妈妈面前，指着照片里的大仁说：

"你记不记得这个男孩子是谁？他也是姓胡的，名叫胡大仁。照片后面是这么写的。"珍美把照片翻到背后，又翻过来，"我为什么会跟他一起？我记不起来了，我想，你也许会知道。"

妈妈望着那张照片，脸上突然露出痛苦的神情，颤着声音说：

"他是……"

8

　　珍美坐在公寓外面的几级台阶上等着。她知道大仁住在这里，但她以前从没来过，也不记得他住哪一层楼。

　　天已经黑了，四周静悄悄的。大仁什么时候才回来啊？她本来可以打电话给他，但她有很多话想当面跟他说。

　　突然之间，珍美看到一个熟悉的身影有点疲乏地朝她这边走来。

　　她缓缓从台阶上站起身。

　　大仁好像也看到她了。他加快了脚步，几乎是奔跑来到她面前。

　　大仁既惊且喜地问：

　　"珍美，你为什么会在这里？"

　　珍美看着他好一会儿儿，抿抿嘴唇说：

　　"我知道你是谁了。"

　　大仁脸色一亮，似乎等着她说下去。

　　珍美黑溜溜的眼睛直直地望着大仁，突然抬起手

"啪"的一声给了他一记耳光，伤心地朝他吼：

"你是我同父异母的哥哥！"

大仁当场愕住了。珍美使劲推开他，头也不回地一直跑一直跑。直到她跑了很长很长的一段路，她终于忍不住呜呜地哭了。

今天在咖啡室里，当妈妈看到那张照片时，脸上突然露出痛苦的神情说：

"他是……呃……穿羊水。"

珍美怔了怔？

"他是穿羊水？"

妈妈低下头去望着自己的肚子，喘了口气说：

"是我好像穿羊水。"

珍美听得一头雾水：

"什么是穿羊水？"

妈妈一张脸抽搐着说：

"我要生孩子了！"

珍美吓坏了：

"那怎么办？"

妈妈喘着气说：

"你过去告诉我先生。"

214

珍美连忙站起身：

"我现在就去！"

"他不知道我以前的事……"妈妈恳求的目光望着珍美说，"你别告诉他……"

珍美点点头：

"放心吧！我不会告诉他我是谁。"

珍美转身想走时，突然又回过头来，拿起桌子上的照片问妈妈：

"你还没告诉我他是谁。"

妈妈双手撑住面前的桌子，大口大口吸着气说：

"他是姓胡的喔？你爸爸以前结过婚……这个好像是他跟前妻生的儿子……我只见过他几次……这……这么多年了……不知道会不会记错……不行了……我真的要生孩子……你可不可以……"

珍美记不起她是怎么失魂落魄地走出咖啡室，一路走到这里，给了大仁一巴掌，然后孤零零地走在回去的路上。

人为什么有那么多不可告人的秘密。妈妈有，大仁有，以后连她也有了。她说不出这一刻思绪有多么混乱，心里的滋味又有多么复杂。怪不得她跟大仁会一见如故，总觉得他就像她哥哥。所以大仁才会供她读书，又对她那么好。

奶奶以前说过，爸爸跟别人的老婆私奔去了马达加斯加。大仁说有个远房亲戚留给他一笔遗产，难道就是他们的爸爸？

爸爸已经死了？

大仁为什么不告诉她？他怎么可以是基的，而同时又爱上自己的妹妹？

珍美觉得头好痛。这种伦常大悲剧为什么会发生在她身上？差一点就铸成了大错。

她不能再见大仁了。

就像她曾经忘记许多事情一样，要是可以，她要永远把大仁忘记。她也只能够这么做了。

第七章

1

如今不管是沮丧或是有点无聊的日子，珍美再也不会到宠物店对街的拐角那里去了。她要戒掉这个习惯，就像她要戒掉大仁一样。

每一次，当她想起有生以来对她最好的一个男人不仅是基的，更是她同父异母的哥哥，而就在她跟自己亲生妈妈相认的那天，妈妈却又赶着要生下一个跟她同母异父的弟弟或妹妹，还有她那个跟别人老婆私奔到马达加斯加的爸爸，原来已经死了，珍美都觉得这一切实在荒谬得无以复加。

想来想去，还是奶奶最幸福。奶奶清醒的时候不会记得自己已经痴呆，痴呆的时候也不会记得自己清醒过。

记性不好，也许是一份虽然有点粗糙却还是很实用的礼物。

珍美也会一点一滴地戒掉对大仁的记忆。她一向善忘，这还不容易吗？她发觉自己想起他的次数好像没以前那么多了。

直到二月中的一天，一张由她画封套插图的杂锦情歌唱片发行，珍美跟佳佳一起去铜锣湾最大的唱片店巡一下。

珍美一走进唱片店，就看到那张唱片一行一行叠得高高的，放在最当眼的位置，背后那面墙上张贴着四张跟封套一样的大头珍珍巨型海报。

珍美想起她做过的那个歌星梦。要不是大仁，她那个梦也许还会一直做下去，直到她虚度了许多悔恨的光阴。是大仁把她那个梦换成眼前的真实，让她找到自己。

一瞬间，她以为已经一点一滴戒掉了的思念和记忆，原来并没有流走，而是像浪花一样狠狠地扑回头。

佳佳拉住她的衣袖，问她：

"你又想起他吗？为什么不去找他？"

珍美瞥了佳佳一眼，说：

"你疯了吗？他是我哥哥来的啊。"

"你肯定没记错？"

"这怎会记错？我也希望是记错了。"

"你为什么不去问你奶奶？"

"我奶奶记得就不是痴呆，痴呆就不可能记得。"

"想起来你也长得有点像大仁。"

"我哪里像他？"

"你们两个都很诙谐。"

"我是可爱，他才是诙谐。"

"唔……你说得对。"

"我看我明天要开始写日记，万一将来像我奶奶一样痴呆了，可以看回日记啊，那就不会忘记以前的事。"

"痴呆了还会认得字吗？"

珍美苦涩地笑了笑：

"这我倒没想过。那就不写了，要忘记的，总有一天会忘记。"

2

珍美不知道哪一天才会忘记大仁。

不过，她一直没忘记的那个人隔天晚上突然又出现了。

他总是在这样的夜里出现。十二点钟的时候，珍美正在书桌前面赶稿，林清扬的电话打来，约她十分钟之后在楼下见。

珍美欢天喜地地换上衣服，猜不到林清扬这一回是载着她飙车呢，还是站在车边跟她说一句窝心的情话？

珍美来到楼下，看到林清扬那辆橘子色的跑车停在外面，他人坐在车里。

珍美打开车门，优雅地上了车。

林清扬朝她笑了笑，说：

"很久没见了。"

"是喔。"珍美咧嘴笑笑。

车里的音响依旧放着他写的歌，林清扬一直没开车，也没出声，而是靠在椅背上合上眼睛。

珍美默默地等着林清扬说句话。他什么也没说。过了一会儿，她忍不住转过头去，看到他头有点歪了，好像已经睡着了。

"林先生……"珍美小声叫他。

林清扬睡得很酣，没回答。

珍美只好呆坐在车子里不敢吵醒他。她想起她还有很多画稿要赶，却不知道自己为什么会在这里。

珍美悄悄地偷看了林清扬几回。他开始发出微微的鼾声。她无奈只好一直坐着。

差不多一个钟头之后，林清扬终于醒来了。他朝珍美脸露一个迷人的微笑，说：

"我失眠了好多天。你在我身边，我就能睡一会儿。"

珍美本来又冷又累，他这么一说，她脸红了。

"谢谢你。"他说。

"别客气。"

"我现在可以回去工作了。"他说。

珍美禁不住又尴尬又失望，只好默默打开车门，跟林清扬说了一声再见，然后走下车，站在车边目送着他那辆跑车丢下她绝尘而去。

珍美心中突然冒出一个想法，这是她以前想都没想过的。她曾经多么期待见到林清扬，然而这一刻，她只希望下一次，当林清扬找她的时候，她能够拒绝他。

3

珍美根本就没机会像她希望的那样能够拒绝林清扬。

那天晚上，他找她睡觉……不……不是，是找她出去，却自己在车上睡觉之后，他又失踪了一段日子。

他们再见面的时候，不是在车上，而是在他那辆橘子色的跑车旁边。

那个晚上，珍美跟佳佳一起去看一场七点半的电影。她们看完戏，从戏院出来。珍美突然看到那辆熟悉的橘子色跑车就停在路边，从车上走下来两个人，一个是林清扬，一个是穿山甲。穿山甲穿了一条灰绿色的皱巴巴的连身裙，跟林清扬亲昵地牵着手，朝他们这边走来。

"是林清扬呀！"佳佳说。

林清扬大概是听到有人叫他的名字，他看向珍美这边。四目交投的一刻，珍美肯定林清扬也看到了她。

可他的演技真好。他就像根本不认识她那样，从她和佳佳身边走过，直接走进戏院里。穿山甲倒是望了一

224

眼珍美和佳佳，那种自信的眼神就好像以为她们是林清扬的粉丝。

佳佳生气地说：

"呃……他竟然假装没看到你！"

珍美笑笑说：

"没关系啦。"

佳佳不敢相信地看了看她：

"你不要骗自己？他太可恶了！哼！要不要过去画花他那辆跑车？"

珍美看了一眼她曾经期待的那辆橘子色跑车，突然发现，这个颜色实在丑得不行。她为什么那么想要坐上去呢？

"你真的没事？你不是喜欢他的吗？"

珍美突然明白，她从来就没有喜欢过林清扬。要是她喜欢过，只是她不了解他。有一种自恋的男人像他，喜欢的只是自己。所以，他才会想要迷倒身边每一个女孩子，把她们仰慕的眼神一一制成标本来展览。

珍美甩着手里的包包，咧嘴笑着说：

"我戒掉他了！"

她没想到，她戒掉的是她向往过的人，而且戒得不费吹灰之力。

她以为她会首先戒掉对大仁的思念，那种思念却一次又一次在漫漫长夜来轻敲她的心门。

4

"你记住以后要戒掉'你信不信我打你'这句话。"

"习惯了很难戒。"

"男人大丈夫，说戒就戒！这句话等你拿到柔道黑带再说。那时你才有资格说。"

大仁吃力地踩着单车爬上斜路，技安坐在后面，张开两条手臂，叉开两条腿说：

"喂老师！你真的要走？"

"男人大丈夫，说走就走！"

"那我们怎么办？"

"什么怎么办？你们都毕业了。"

"你为什么要走？你是不是给女朋友甩了？"

"你信不信我……"

"呃……你刚刚说过不准说的。"

"我是说拿到柔道黑带就可以说。我是说，你信不信我这种人才，会给女朋友甩掉？"

"那你留下来吧。"

大仁回头看了看技安：

"人家好感动哟，你竟然说这种话。"

技安老气地说：

"我只说一次，不要走！"

大仁摇摇头，把车停下。

"我也只说一次，我要走了。不必相送。你到了。"

他拍拍技安的头：

"记着我说的话，别吃软饭，要吃便吃硬饭！别做黑社会，要做就做社会工作！"

技安撇撇那个小肥嘴，依依不舍地说：

"你很烦！我走啰！"

大仁看着技安一溜烟地跑上楼，才掉转车头，把单车踩下斜路，往火车站踩去。

那天，他在唱片店里买了珍美画封套的那张杂锦情歌唱片，看到唱片堆得高高的，店里当眼的地方张贴着大头珍珍的巨型海报。

他突然明白，珍美已经不需要他了。

那个晚上，珍美在公寓外面的台阶上等他。当她说："我知道你是谁了！"大仁以为他的等待终结了，结果却是那样荒谬。

漫长的日子里，他没敢找她。珍美一定在生他的气，不会再见他了。

他知道，他唯有再一次往后退，退得比以前更远一些，才可以摆脱思念的纠缠。

然而，当他踩着单车来到火车站的时候，却看到那个熟悉的形影挨在栏杆上，已经看到了他。

大仁停下车。珍美望着他，他也望着珍美。他多久没见她了？是这一次跟上次？还是这一年跟那一年？

难道她终于想起那一年的事？

然而，当珍美说：

"我不会叫你哥哥的呀！"

大仁知道，期待又再一次落空了。他假装无所谓地笑笑，把车锁好，花了很长的时间蹲下去锁车，因为他不知道怎样面对这张他朝思暮想的脸。

那辆单车他没法锁一辈子。最后，他唯有站起来，拍拍手上的灰尘，问珍美说：

"找我有事吗？"

"没有，我刚刚去看完奶奶，顺便经过这里。"珍美倔强地说，"你要不要去看奶奶？"

大仁告诉她：

"我过几天要走了。"

"你去哪里？"

"陕西。"

珍美直直地问：

"去那么远干吗？"

"我去山区教书。"

"你这边不教？"

"我教的那一班过几天就毕业了。这个时候离开正好。"大仁回答。

珍美应了一声，好一会儿都没说话，然后说：

"那保重。"

"谢谢你。你也要保重。"

珍美没看他，只说：

"我自然会保重，还用你说？"

大仁突然觉得珍美今天说话的方式跟技安很像。可他分不出她哪一句是真心话。她毕竟比技安聪明许多。她也不是小孩子了。

珍美摸了摸他那辆单车，突然抬起头来看着他，想说什么又没说，终于说：

"后会有期，我就不送你了!"

大仁只好潇洒地说：

"千山我独行，不必相送。"

第八章

1

　　飞机从东京成田机场起飞已经三个多钟头了，珍美坐在飞机里。她真的好讨厌她自己。她拍武侠片啊她？那天竟然跟大仁说什么"后会有期，我就不送了!"这种话。

　　她根本没去看奶奶，她是特地在车站等大仁，想看看他过得好不好。

　　然而，看到大仁的时候，她的嘴巴却硬起来。尤其当大仁告诉她要去陕西山区教书之后，她突然觉得有点生气。大仁分明是故意丢下她。他过几天就要走了，却不打算跟她说。

　　即使不是同父异母的兄妹，他们也是好朋友啊。

　　那一刻，珍美突然想，要是可以像以前一样，什么都不管就扑上去搂着他，那么，两个人要说的话也许就完全不一样。

大仁去年夏天离开，都快一年了。她从设计学院毕业之后，正式当上全职的插画师。起初她还有点担心，没想到发展比她想象的顺利。大家都喜欢大头珍珍。一年来，她不但在杂志画插图，还有一家产品公司替她出产了一系列大头珍珍产品，一个日本的化妆品牌新推出的青春系列决定用大头珍珍做商标，还有一个著名美国休闲便服要出品大头珍珍牛仔裤。

珍美每隔两三月就要去日本开会。当她人在外地的时候，总会更思念大仁，不知道他现在过得好不好。

没有大仁，她什么都不是。她却连跟他好好道别都做不到。

大仁走了，她才知道有他在多么好。有他在，就有个说话的人。有他在，就有人在她画出一幅好作品时给她掌声，在她对自己没有信心的时候用激将法刺激她，故意说她不行，而其实却随时准备向她伸出一双臂弯。

要是大仁不是她哥哥，那多好啊。

要是他不是基的，那多好啊。

可惜，人生总有太多的"要是"，而不是像一张杂锦唱片，至少有百分之七十都是好听的歌，剩下的百分之三十没那么好听，是为了让那百分之七十听上去更难得。

　　飞机抵达香港机场，珍美过了检查站，到输送带那边去领她的行李。她领了行李往前走，突然看到另一条输送带前面一红一紫两个亲昵地黏在一起的背影，一个紫得不行，另一个红得要命。除了紫衫人，有谁还会从头到脚紫成一块？可那个穿红色西装的男人是谁？那背影才不是大仁的。

　　珍美悄悄拖着行李走上去。看到紫衫人的手搭在红衫人的屁股上，红衫人的手捏了捏紫衫人的屁股。紫衫人又用屁股撞了撞红衫人的屁股，两个人旁若无人地公开调情。

　　"紫衫人！"珍美大吼一声。

　　紫衫人应声转过头来，那个红衫人也转过头来。

　　紫衫人看到珍美，高兴地说：

　　"珍美，是你呀？我就知道只有你才会这样叫我。你从哪里回来啊？真巧。"

　　珍美狠狠地盯着他，说：

"你对得住大仁！他去了陕西吃苦，你却背他偷汉？"

红衫人怔了怔，质问紫衫人：

"这个女人说什么？原来你已经有男朋友了吗？"

紫衫人连忙说：

"我当然没有！"

珍美气愤地抓住他的手臂：

"那大仁是什么？"

紫衫人冲口而出：

"他不是基的！"

珍美怔住了：

"呃？你说什么？"

紫衫人没好气地说：

"你不是笨成这样吧？我一看就知道不可能不是基，大仁怎么看都不可能是基。要是他是基的，就是基界的福音。"

珍美听得一头雾水：

"那他为什么要扮成基？"

"哎呀……你真是！他怕你不肯让他供你读书，只好冒认是基的，和我合演一场戏。我们中学的时候都是

236

学校剧社的。"

珍美呆住了：

"那么，遗产的事也是假的啰？"

"哪有什么遗产？他为了供你读书和帮你交租，捱得不知多么苦，又教柔道啦！又去海洋公园扮小丑啦！总之又做猫又做狗！我真是忍了很久才说出来。他要是这样为你吃苦吃死了，那他灵堂那块横匾写的一定是'情为何物'啊！"

紫衫人一口气说完，眼睛也湿了。

珍美没忘记那个从大仁背包里掉出来的小丑鼻子，怪不得大仁死口不认。怪不得他那时候成天说忙，原来是为了赚钱让她去读书。

"他是喜欢你啊！"紫衫人说。

珍美苦涩地笑笑：

"不，不是的。"

她心里想：

"那是因为他是个好哥哥。"

2

香港的十二月才开始有点寒意。珍美原本买了两件新的羊毛衫给奶奶，是她上次去东京时在百货公司看到中意的。可是，今天接到方姑娘的电话，说奶奶嚷着要见她。她匆匆忙忙跑出来，只记得带新出版的《WAN WAN》，羊毛衫倒忘了。

奶奶要见她，那就是说奶奶今天很清醒，奶奶清醒的时间很短，每一次，珍美都只能尽快来。

她一进去老人院的大堂，就看到奶奶了。

奶奶朝她撅撅嘴说：

"珍美，你很久没来看我了。"

珍美坐到奶奶身边，依偎着她说：

"我上个月才来过啊。"

"你哪有？你骗我，我记性很好。"

珍美禁不住笑了，把《WAN WAN》放到桌子上，说：

"你记性比我还好。"

奶奶一边翻一边说：

"是你画的吗？"

238

珍美说：

"今期还有我的访问啊。你看看。"

奶奶慈祥地摸摸珍美的脸说：

"你从小画画就很漂亮。"

珍美突然想起什么的，连忙直起身子问奶奶：

"奶奶，我是不是有一个同父异母的哥哥?"

奶奶点点头：

"谁告诉你的?"

"我就是知道。"珍美从包包里取出她的大头珍珍银包来，把她和大仁1984年在皇后像广场拍的那张照片拿出来给奶奶看。自从三个月前在机场见到紫衫人，知道大仁对她那么好之后，珍美就一直把这张照片藏在钱包里。

"奶奶，他就是我哥哥吗?"珍美指着相片上的大仁说。

奶奶隔着老花眼镜看了看照片：

"这个哪里是你哥哥!"

珍美张开嘴呆住了：

"奶奶，你看清楚一点啊你!"

"我看得很清楚，你哥哥额头上有块很大的胎记，而且他根本不是这个样子。这个是胡大仁。"

"是啊！他是胡大仁。"

"胡大仁。胡大仁。他有一个弟弟叫胡大义，大义灭亲的大义，我很记得。大仁，大义！很好笑。"

珍美抓住奶奶两条手臂：

"奶奶！你现在很清醒？你确定？"

奶奶气得瞪着眼睛：

"别以为我八十几岁就老糊涂了！"

"那大仁是谁？我为什么会跟他一起？求你快说吧！"

"他是你同班同学，又是住在我们隔壁的。他们两兄弟都喜欢你，你小时候好可爱好漂亮嘛！但你只喜欢大仁，成天跟他出双入对，还跟我说将来要嫁给他。"

珍美半信半疑：

"不可能的，为什么你说的我全都不记得？我连他的样子都想不起来。"

奶奶从照片上抬起眼睛望着珍美，叹了口气，说：

"这件事我本来一直不想告诉你。反正你都忘记了。"

3

山区的十二月气候严寒，昼短夜长，四点钟已经开始天黑。大仁来这里一年多，几乎忘了香港的冬天跟这儿比较起来有多么暖和。

村里的校舍是用砖头盖的，就跟村民住的房屋一样，破败又简陋。学校里就只有大仁一个老师，他教所有的科目：算术、中文、英文，还有体育。

这里的孩子都喜欢上课，也不用大仁踩单车送他们放学，他们喜欢用脚跑。学校只有一个课室，所以也只有一班学生，学生的年纪参差不齐，一年级坐第一排，二年级坐第二排，三年级坐第三排，四年级就坐第四排。大仁一排一排地教。

他替班上的学生每人都改了一个英文名，这里就有大卫、约翰，也有保罗和玛莉等等。体育课的时候，大仁教他们柔道，垫子是用茅草铺成的。他又表演魔术给他们看，没多久就俘虏了每个小孩子的心。

他还答应今年会开一个圣诞派对。

他的宿舍就在校舍旁边。在山区的生活，夏天会好一点，可以到处跑跑。到了冬天，长夜漫漫，只能拥抱着炉火孤寂地度过。

他带来的行李只有两个大皮箱。在这里，愈简单愈好。只有像今天晚上这种苦寒的长夜，他才会又被思念打倒。他从皮箱里拿一本旧书的时候，又看到那本图画簿。图画簿上泛黄的封面沾了干掉褪色的油彩。翻开第一页，上面童稚的两行字写着：送给大仁。

这本簿是珍美送给他的，里面每一页都画上了图画。珍美从小画画就漂亮。大仁在炉火边翻着翻着，翻到最后那一页，那儿夹着几张他和珍美小时候一起拍的照片，还有一沓已经发黄的 Kit Kat 巧克力包装纸，是珍美画在上面送给他的图画，他一直留着。

他们是邻居，也在学校念同一班。两个都姓胡，常常编在一组。相识那年，他六岁，她也是六岁。他们两个都是小怪胎。他可以一整天都不说话，珍美可以一整天不停说话。他可以一整天看书，珍美可以一整天画画。他爱笑不爱哭，珍美爱笑又爱哭。他唱歌不错却不爱唱，珍美唱歌走音却很爱唱。

小时候的珍美已经很可爱，蓄着一头乌溜溜的长直发，坐在他身边的时候，头发常常拂到他脸上。

242

他们课一起上，书一起温习，东西一起吃，有时候连觉也一起睡。

然而，那场意外改变了一切。

十岁那一年，大仁患了肠炎而住进医院。那天，珍美急着去看他，没等她奶奶，一个人搭巴士去医院。

那辆巴士在天桥上撞到另一辆车，坐在前排的珍美受了重伤。她被送到急症室时，身体没有任何表面的伤痕，却一直昏迷不醒。

珍美本来要来看他，结果却跟他住进同一家医院里。那天，大仁听到珍美的奶奶跟他妈妈说，珍美已经两天没醒来了，医生说，她也许永远都不会醒来。

那个晚上，大仁偷偷溜到珍美的病床前面，看到苍白虚弱的她全身插满了喉管，就像睡着了一样。这都是他不好，要不是为了来看他，珍美便不会受伤。

他跪在床边握住她的小手，诚心地向上帝祈祷。他不知道他为什么会这样说。但他就是这样说了。

他跟上帝说：

"只要珍美能够醒来，她不认得我也没关系，忘记我也好。我答应，我什么也不会说，我不会告诉她，除非她有一天自己记起来。"

大仁没想到，天亮的时候，珍美竟然奇迹地苏醒过来。

　　大仁的祷告灵验了，珍美张开眼睛之后不认得他，她也不认得任何人。十岁以前的记忆，她全都失去了。

　　大仁记得他妈妈跟珍美的奶奶说：

　　"幸好她年纪小，只是失去十年的记忆。"

　　大仁当时多么想说，那十年里有他的五年。

　　珍美不认得他，也不再理他了。

　　大仁答应过上帝，他什么也不说。他害怕要是他不守信诺的话，珍美又会昏迷不醒。

　　那年年底，大仁的妈妈再婚，大仁跟弟弟大义只好跟着妈妈走。后来，珍美和奶奶也搬走了。

　　从那以后，大仁再没有见到珍美。

　　大仁以为这辈子也不会再见到她。即使再相见，珍美也不会认得他。

　　大仁没想到，1998年平安夜，他再次见到她，珍美长大了，样子一点也没变，唱歌还是荒腔走调。那天，大仁扮成圣诞老人，珍美不认得他。

　　一年后，大仁脱下圣诞老人的衣服，珍美依然认不

244

出他。

　　大仁一直等待，希望有一天珍美会恢复失去的记忆。他跟她成了好朋友，才发现自己渐渐爱上了她。既是当时童稚的爱，也是一个男人对女人的那种爱。

　　大仁觉得自己亏欠了珍美，想要给她补偿，有一天，珍美问他是不是来报恩的，他没法回答。有许多次，他想告诉她，到底他是谁，话说到嘴边又打住。

　　他不能够违反他对上帝许下的承诺。

　　他在珍美身边一直等待，直到如今，他不得不承认，他错了，失去的记忆是不会复来的。

4

　　珍美穿着臃肿的大衣，羊毛帽和红颈巾，坐在一辆又破又旧的巴士里，车子颠簸地走在覆雪的路上，正往山区驶去。车上疏疏落落坐着几个衣着褴褛、脸色黝黑的村民，偶尔说着珍美听不懂的方言。

　　幸好，他们当中有两个村妇也是去那条村的，知道村里有一幢学校，也知道有一个从香港来的老师，答应待会儿带她走那条难行的山路。

245

珍美终于知道为什么十岁以前的事她全都不记得。难怪她记性那么坏，原来她受过伤啊。说不定她原本应该再聪明些的，而不是像现在这样，有时会没头没脑。

　　这一切大仁为什么不早点跟她说呢?

　　巴士终于到站了，珍美连忙跟着那两个村妇走。她背着背包，穿一双靴子，慢吞吞地走在崎岖的山路上。

　　一路上，雪停了。她尽量走快一些，以免跟丢了，她一直走一直走，不知道走了多久。

　　天渐渐黑了，珍美猛然抬起头看到一点点亮光，她往前走，那些光点愈来愈近。她望见一幢房舍的模糊的轮廓，那两个村妇指给她看，说那儿就是学校。

　　珍美说了一声"谢谢"，三步并两步地往学校跑去。学校周围点满了一盏盏煤油灯。她仿佛听到圣诞歌，歌声愈来愈清晰。她终于来到学校门口，里面有光，歌声夹杂着人声，她奔跑进去，看到简陋的课室里挂了简陋的圣诞装饰。一个胖嘟嘟的圣诞老人背朝着她，正在黑板上用粉笔画一棵圣诞树，几个小孩子围在他身边看热闹。

　　珍美马上甩掉肩上的背包，飞奔上去，从后面拦腰搂抱着圣诞老人说：

"我来了！我好想你啊！"

等圣诞老人吃惊地转过身来，珍美比他更吃惊地发现他不是大仁。

珍美连忙松开手问：

"你是谁？"

圣诞老人说：

"我是村领导，你是谁？"

珍美一脸尴尬地说：

"我找胡大仁老师，从香港来的那位。"

一个小男孩指向屋后的山坡。

珍美从屋里走出来的时候，终于看到那个她熟悉的背影。大仁跟她一样穿着臃肿的衣服，戴着羊毛颈巾和帽子，正在雪地上教一群小孩子堆雪人。

珍美静静地走向大仁。想起自己是怎样对他的。她浪费了多少光阴啊？是她害他一个人孤零零跑来这个苦寒的地方。

这时，大仁转过身来，看到了她。

大仁怔住了。

珍美默然无语。

天空突然下起雪，雪片愈来愈大，珍美还是头一回看到雪，看到雪飘在她和她爱恋着的男人之间。

　　她朝大仁笑笑说：

　　"这里很难找啊？你那时是怎么来的？"

　　大仁微笑说：

　　"我坐圣诞老人的鹿车来啊。"

　　珍美撅撅嘴：

　　"你就不能正正经经说句话。"

　　突然之间，王菲的《如风》响起：

　　　　有一个人，

　　　　曾让我知道，

　　　　寄生于世上，

　　　　原是那么好……

　　珍美手忙脚乱地在身上找，终于找到她的手机。她把手机贴到耳边，原来是佳佳打来的。

　　"呃，佳佳，我已经到了啊。"

　　说完，她挂断了电话。

　　大仁问她说：

248

"你换了铃声?"

她回答:

"早换了。"

她一步一步走向他,说:

"我什么都知道了。"

大仁皱了皱眉头:

"你知道什么?"

珍美说:

"你叫大仁,你有个弟弟叫大义,还有十岁的那场车祸和十岁以前的一切。都是你的肠炎害了我。你为什么不早说?"

大仁笑着回答:

"我……我这人低调啊我!我就是爱潇洒!男人大丈夫,不说就不说。"

珍美只差几步就走到大仁身边。

大仁笑着问她:

"你想怎样?"

"你知道的……"

"你别扑……"

大仁话还没说完,珍美已经扑到他身上去,像树熊一样，两条手臂搂住他的脖子，两条腿在他身上攀爬。

大仁抱着她说：

"你很重啊你！"

珍美抗议：

"不是我！是身上的衣服！"

她笨重地用双脚箍住他。

大仁抱紧她，说：

"你爬还爬，你别掉下来啊你。"

珍美脸抵住大仁的脸，说：

"你抱紧一点我就不会掉下来，你别放手你。"

大仁问她说：

"你全都记得了？"

珍美摇摇头说：

"全都是奶奶清醒时告诉我的，我根本不记得。失去了的记忆又怎会再回来？"

大仁脸上禁不住一阵失望。

珍美乌溜溜的黑眼睛凝望着大仁，说：

"那又有什么关系？我喜欢的是现在的你，而且以后也不会忘记你。"

大仁脸色亮了起来，紧紧地抱好她。

"除非……"珍美说。

大仁怔了怔：

"除非什么？"

她的脸在他脸上磨蹭：

"你把我忘掉了。"

大仁笑了：

"倒转过来试试看也好啊！忘记的那个人好像是比较占便宜。"

珍美说：

"我不会让你占便宜。"

大仁吻了她一下，神气地说：

"我刚刚就占了你便宜。"

珍美突然问他说：

"呃……你那次问我记不记得《卖火柴的女孩》故事里，小女孩划第二根火柴时到底看到了什么。到底是什么啊？你好像没说。"

大仁瞧了瞧她：

"我已经告诉过你。你不是又忘了吧？"

"你猜呢？"

"看样子应该忘了。"

"哼！我这就告诉你。"

"说来听听！"

雪落在他们头上。珍美笑了，说：

"不过你要再占我一下便宜我才会说。"

图书在版编目（CIP）数据

长夜里拥抱/张小娴著.—北京：北京十月文艺出版社，2008.3

ISBN 978-7-5302-0925-7

Ⅰ.长… Ⅱ.张… Ⅲ.①长篇小说—中国—当代 Ⅳ.I247.5

中国版本图书馆 CIP 数据核字（2008）第 030631 号

著作权合同登记号 图字：01-2008-1663

长夜里拥抱

CHANGYE LI YONGBAO

张小娴 著

＊

北 京 出 版 社 出 版 集 团
北 京 十 月 文 艺 出 版 社　出版

（北京北三环中路 6 号）

邮政编码：100011

网　址：ｗｗｗ．ｂｐｈ．ｃｏｍ．ｃｎ

北京时代新经典图书发行有限公司发行

新 华 书 店 经 销

北京北苑印刷有限责任公司印刷

＊

880 × 1230　32 开本　8 印张　121 千字
2008 年 5 月第 1 版　2008 年 5 月第 1 次印刷

ISBN 978-7-5302-0925-7/I · 892

定价：20.00 元

质量监督电话：010-58572393